Milan
et le chien boiteux

Notre site n'est pas au bout du monde :
visitez-le : www.soulieresediteur.com

Pierre Desrochers

Milan
et le chien boiteux

SOULIÈRES ÉDITEUR

case postale 36563 — 598, rue Victoria,
Saint-Lambert, Québec J4P 3S8

Soulières éditeur remercie le Conseil des Arts du Canada et la SODEC de l'aide accordée à son programme de publication et reconnaît l'aide financière du gouvernement du Canada par l'entremise du Programme d'Aide au Développement de l'Industrie de l'Édition (PADIÉ) pour ses activités d'édition. Soulières éditeur bénéficie également du Programme de crédit d'impôt pour l'édition de livres – Gestion Sodec – du gouvernement du Québec.

Dépôt légal: 2010
Bibliothèque nationale du Canada
Bibliothèque nationale du Québec

Catalogage avant publication de Bibliothèque et Archives nationales du Québec et Bibliothèque et Archives Canada

Desrochers, Pierre, 1950-

    Milan et le chien boiteux
    (Collection Graffiti ; 55)
    Pour les jeunes de 11 ans et plus.

    ISBN 978-2-89607-104-3
    I. Titre. II. Collection: Collection Graffiti ; 55.
PS8557.E842M54 2009   jC843'.54   C2009-940639-X
PS9557.E842M54 2009

Illustration de la couverture :
Sybilline

Conception graphique de la couverture :
Annie Pencrec'h

Première partie

Le monstre de la rue Saint-Christophe

1

Une mise au point

I L Y A TRÈS LONGTEMPS, en un pays aujourd'hui inconnu des hommes, vivait un petit garçon au nom aussi gracieux que sa personne. Il se prénommait Milan. Il était le fils d'un bourgeois en vue de la Cité, monsieur Horace de Brière de Montigny et de son épouse, la douce Marjorie.

La famille partageait la demeure à colombages et en pierres, bâtie à l'ombre du château, non loin du marché et de la place de l'Hôtel de Ville. Chacun des habitants de ce pays tenait ce couple en haute estime et trouvait le fils aussi beau que charmant. La rumeur…

— Un instant, l'écrivain ! Qui t'a donné la permission d'écrire cette histoire ? C'est de la crotte de bique ! Mon nom, ce n'est même pas un nom ! C'est le nom d'une ville d'Italie. Je ne suis pas un Italien et je n'ai rien de joli. Je suis la terreur de l'école. Personne ne m'aime, je n'aime personne et c'est parfait comme ça ! Alors, tu n'ajoutes pas un seul mot à ce torchon d'histoire à la con, ou alors j'en parle à mon père. Et puis mon père en parlera à ses avocats et ses avocats vont en parler au juge et le juge va te condamner à mille ans de prison. Voilà pour les gros ennuis...

—Silence dans mes pages ! C'est qui l'auteur, ici, à la fin ? On se calme. Je reprends... Je disais donc que Milan... Et puis ! Je n'ai pas à vous présenter Milan. Vous venez d'entendre sa délicieuse voix. Cela vous donne une idée de la chose. Mais je dois admettre qu'il n'a pas tout à fait tort. Milan ne vit pas du tout dans un gentil pays lointain et il n'a rien de vraiment charmant. En fait, Milan est un garçon détestable, agressif, mesquin, égoïste...

—Merci !

—... et laid.

—Non, mais tu t'es regardé, du con ?

—*Silence !* On continue ! Donc, il est laid, roux, gras, plein de taches de rousseur et il a des yeux rouges.

— *Verts, qu'ils sont mes yeux !*

—Il a douze ans. Il n'a aucun ami et c'est, comme il l'a dit, la terreur du quartier. En fait, Milan est tout simplement un furoncle sur la face du monde, une plaie purulente, la honte de sa génération. Bref, il fait toute la fierté de ses parents.

Remarquez, Milan a des parents très, mais alors là, très bien. Sa mère est directrice d'une revue féminine très en vue et son père est actuaire pour une firme de placements. Ça fait quoi, un actuaire ? Milan n'en a pas la moindre idée ! À son avis, pas grand-chose.

La famille de Milan est donc très riche et elle habite la plus belle et la plus vaste maison du quartier, presque un manoir, cachée derrière des hauts murs de pierres et une grille électrifiée... Bref, ce sont des gens chics, snobs, s'exprimant dans une langue ampoulée et toujours pour ne rien dire.

« Ah ! Mon petit chéri ! passe son temps à lui répéter sa mère. Tu es une perle unique, la seule qui soit digne des bancs de coraux des mers australes. »

N'étant pas très ferré en géographie, Milan ne sait pas où se trouvent lesdites mers australes et, du fait même, il ignore où sa mère a bien pu le pêcher. Mais notre jeune héros, par la force des choses, a développé la certitude qu'il est né d'une huître, comme les perles, ce qui explique mieux que toutes les théories fumeuses de sa psy le fait qu'il vive replié sur lui-même, fermé à toute influence du monde extérieur. Comme une huître, quoi !

Car il faut vous dire que Milan, comme tout enfant de famille riche, a un psychologue accroché à sa couche depuis son premier rot. C'est une dame distinguée qui porte de grosses lunettes. Elle le reçoit dans son joli bureau chaque semaine. Assise dans un gros fauteuil, elle analyse ses dessins comme d'autres analysent les crottes de leur chien pour savoir quel purgatif leur donner.

— Horace ! En parlant des mers australes, avez-vous réservé nos places sur le vol vers Bora Bora ? Nous devons y rejoindre les Lenoir-Bentley pour Noël. Vous ne l'avez pas oublié, n'est-ce pas, ami très cher ? demande Marjorie, les lèvres en pinceau.

Horace, c'est le père de Milan ; du moins c'est le nom de l'homme qui prétend être son père. Milan n'en est pas du tout certain. En fait, il lui serait difficile de reconnaître ne serait-ce que la voix de cet homme avec qui il n'a jamais eu de relation.

Tout ce dont il a la certitude, pour l'instant, c'est que, cette année encore, il devra passer la fête de Noël seul avec sa grand-mère, une pimbêche d'un mètre quarante, à la voix caquetante d'une dinde. D'ailleurs, sa grand-mère est une dinde avec ce trop-plein de peau molle qui pendouille sous son triple menton terminé en pointe de tarte. Averti à l'avance, cette fois, Milan aura tout le temps de lui préparer un cadeau que la dinde pourra se rappeler jusqu'à la fin de ses jours. Il sourit !

— *Erreur ! Je ne souris jamais !*

— Avant de clore ce chapitre, il y a une chose qu'il faut que vous sachiez concernant Milan. À vrai dire, il y a tant de choses que vous devriez savoir concernant Milan… Mais celle-ci est vraiment super importante : Milan mange ses crottes de nez !

— *Mensonge, canular, horribilité sans nom ! Attends que les avo-caca de mon père apprennent ça ! Là, mon gars, t'es bon pour la chambre à gaz, la guillotine, la chaise électrique et le massacre à la scie tronçonneuse ! Ça, c'est l'erreur dont on ne se relève pas !*

— Et je suis certain qu'il les colle sous son pupitre !

— *Alors là, ma grande, c'est la grosse catastrophe ! L'anéantissement complet, le pal, l'écorché vif, la grande bouilloire !*

— Silence ! Un mot encore, et je te transforme en coquerelle écrasée sur un comptoir par la tapette à mouche d'une vieille Italienne.

— *Tu n'as pas le droit ! D'ailleurs, je trouve qu'il est bien souvent question des Italiens dans cette histoire. Je vais le dire à ma mère !*

— Ta mère ! Mais, mon pauvre enfant ! Ta mère ne se souvient probablement même pas de ton prénom, depuis le temps qu'elle te confond avec un grain de sable.

— Un grain de sable ?

— Que crois-tu que ce soit, une perle, mon petit Merlan ?

— *Bon ! C'est très bien ! On n'a pas besoin d'un cours sur la physiologie des perles marines. Et puis, je ne m'appelle pas Merlan. Je*

m'appelle Milan. Qu'on se respecte, au moins !
Non, mais ! C'est vrai, quoi !

...

— Ben quoi ? Qu'est-ce qu'il y a encore ?
Pourquoi tu me regardes comme ça ?

...

— Bon ! Très bien ! C'est tout ! J'ai dit ce
que j'avais à dire. Vas-y ! Raconte-la, ton his-
toire à la noix !

— J'attends que tu disparaisses !

— Partir, moi ? Tu veux que, moi, je parte ?
Mais pour qui on se prend, là, ici, dis donc !

— Pour l'auteur, hé le monstre ! Pour le bon
Dieu ! Pour celui qui, d'un claquement de
doigts, peut décider de te faire mourir dans les
pires souffrances !

— T'es qu'un gros tas de fiente de pigeon
même pas voyageur ! Une poubelle vivante !
Une tonne de fromage pourri ! Un gros bol de
vomi de chacal en putréfaction !

Voilà ! Je crois que nous allons avoir la paix
durant quelques chapitres ! Enfin, je l'espère.

C'est qu'on n'est jamais certain avec Milan.
C'est l'enfant le plus détestable et le plus sour-
nois que je connaisse. J'espère, chers lecteurs,
que vous ne prendrez jamais exemple sur lui
et que vous continuerez d'être sages et polis
avec les auteurs que vous rencontrerez tout au
long de votre vie. Et si vous n'en rencontrez

pas, pauvres petits malheureux que le sort n'aura pas comblés de sa mansuétude, eh bien ! soyez tout de même polis avec vos parents, votre chien et même, pourquoi pas, avec votre professeur.

2

L'école publique

BON ! ALLONS-Y AVEC CETTE HISTOIRE, sinon elle aura eu le temps de finir avant que je n'aie eu le temps de la commencer. Ce petit morveux m'a fait perdre, attendez que je vérifie...

...

Sept pages ! Au prix où est le papier...

Pour commencer, disons tout de suite que Milan, contrairement à ce que je vous ai raconté, ne se joue pas dans le nez et ne met pas ses crottes comme des trophées sous son pupitre. Enfin, je crois. En tout cas, certainement pas plus que les autres enfants de ce monde. Pas plus que vous, en fait.

Mais surtout, je dois avouer, gardez ça pour vous, car si Milan venait à apprendre ce que je m'apprête à vous révéler, il serait capable de revenir hanter ces pages avec ses jérémiades klaxonnesques pour les cinq siècles à venir. Où en étais-je ? Ah oui ! Je dois vous dire que Milan n'est pas du tout la terreur qu'il croit être. Non ! Pas du tout ! C'est, au contraire, un enfant d'une grande douceur, animé par un amour des autres aussi débordant qu'une rivière à la fonte des neiges. Il ne le sait pas encore, voilà tout.

Il ne le sait pas parce qu'il est trop malheureux. Les enfants qu'on néglige deviennent vite des monstres qu'une seule caresse parviendrait à faire fondre comme neige au printemps. Oui, je sais ! Ça fait beaucoup de neige en seulement quelques lignes, mais si vous saviez combien le cœur de Milan est gonflé de larmes, vous comprendriez.

Académie Saint-Louis-de-Montfort, école on ne peut plus privée, fréquentée par Milan depuis trois longs mois.

C'est la dernière institution scolaire privée d'une longue liste qui aura vu défiler dans ses murs l'ombre de la bête. Bien que l'élève Brière de Montigny soit nouveau dans cette noble institution, son nom est connu de tous. Jamais, en cent deux ans d'existence, les couloirs de cette vénérable institution n'auront autant retenti des échos d'un seul nom.

En quatorze semaines, il a été suspendu dix fois et la leçon n'aura jamais porté. La onzième sera la dernière. Ni les menaces de son père ni l'hystérie de sa mère n'y feront rien.

Le 14 novembre, le visage rayonnant d'une nouvelle victoire, Milan descend pour la dernière fois le grand escalier de vieilles pierres de l'école Saint-Louis-de-Montfort devant des parents béats d'admiration pour leur cher ange, victime innocente d'une nouvelle et tragique injustice et « ... qui semble si bien le prendre, cher ami. Ne trouvez-vous pas ? ».

Tout béats, mais consternés. Car, voyez-vous, leur petit roi, victime de l'incompréhension de ses maîtres, est maintenant banni de toutes les écoles privées de la planète, y compris celles du Grand Montréal, ce qui n'est pas peu dire, vous en conviendrez, et fort embêtant pour des gens de leur statut.

Donc, maman Marjorie et papa... Comment s'appelle-t-il déjà ? Ah oui ! Sylvestre ! Non, ça, c'est le nom du chat... Horace, c'est ça, HORACE ! Donc, maman Marjorie et papa Horace lui offrent un visage aussi long que le nez d'un toucan et aussi pâle que du petit-lait. Ils se demandent ce qu'ils vont bien pouvoir faire de leur rejeton, persuadés qu'ils sont que personne ne le comprend.

Ils n'ont plus guère le choix, les pauvres ! Ils sont cruellement soumis à l'implacable réalité qui les contraint à envisager, pour leur Milan de fils, l'intolérable obligation de lui faire fréquenter l'innommable, l'impubliable, le catastrophique secteur public d'éducation. Une école de la Commission scolaire de Montréal. Pensez donc !

Quelle horrible perspective ! Devoir imposer à la chair de sa chair le sort affreux de côtoyer la plèbe dans une école de quartier. Rien que d'imaginer son fils assis près de la fille du boucher met Marjorie en état de syncope. Il faudra le rappel à ses devoirs de mère, claironné par son Horace de mari, pour qu'elle réagisse avec plus d'à-propos et ne s'évanouisse pas sur la banquette avant de leur Mercedes.

— Non n'avons guère le choix, amie très chère. C'est l'école Saint-Christophe, ou alors nous remettons notre départ pour Bora Bora !

— Quelle horreur !

Rien que d'évoquer cette éventualité suffit à vous remettre la bonne femme sur le piton. La voilà qui caracole, qui batifole, qui rigole presque de la situation : « Ha ! Ha ! Hi ! Hi ! Ho ! Ho ! »

— Vous avez raison, Horace ! Contre mauvaise fortune, sachons faire bon cœur ! Une généreuse contribution à la caisse occulte de l'école...

— On m'a raconté, très chère, que les écoles publiques n'ont pas ce genre de cagnotte.

— Seraient-ils donc des gens honnêtes ? Quelle drôle d'attitude ! Enfin peut-être qu'un aimable pot-de-vin à la direction suffira à la convaincre de prendre notre trésor jusqu'à notre retour de vacances... prévu pour quand déjà, Horace très cher ?

—Le 24 janvier, Marjorie amie ! Mais je doute que nous ayons quoi que ce soit à débourser. Un collègue, de fort mauvaise fréquentation, je le précise, m'a raconté que les écoles publiques acceptaient n'importe qui.

—N'importe qui ? Quelle idée ! Mais alors, ami très cher, nous aurons certainement grande misère à y faire admettre notre fils. Il est loin d'être n'importe qui.

—J'apporterai mon chéquier, très chère ! On ne sait jamais. J'ai pris rendez-vous demain matin à la première heure.

—Pourquoi attendre demain ? Autant battre le fer tandis qu'il est chaud ! Allons-y maintenant. Demain, j'ai un rendez-vous que je ne puis remettre avec mon esthéticienne.

Et voilà le trio assis dans le corridor devant le bureau de la directrice.

—Mais j'y pense et j'angoisse, époux très cher, lance Marjorie dans un couinement de désespoir. Si nous ne payons personne, comment nous assurer que notre chérubin aura de bonnes notes ?

—J'ai peur, très chère épouse, que ne lui vienne l'obligation de travailler !

—Travailler ? Quelle horreur ! Vous voulez dire devoirs et leçons, comme un pauvre ?

—J'en ai peur, amie très chère !

—Oh ! Voilà qui est choquant !

Cinq minutes plus tard, ils sont installés sur des chaises dans l'étroit bureau d'une femme entre deux âges, habillée en prêt-à-porter, le chignon bouclé, la lunette rivée sur le dernier bulletin de Milan.

—Pas brillant, murmure-t-elle en refermant le dossier.

—N'est-ce pas ! répond une Marjorie emphatique. Et tout ça sans aucun effort, je vous assure !

—Oh ! Mais madame, lui répond brutalement la dame entre deux âges, je n'en doute pas un seul instant. (Puis se tournant vers Milan et l'affrontant d'un regard sévère.) Je dois t'informer, mon garçon, qu'ici, il va falloir en faire, des efforts, et pas des petits.

—Justement, parlant d'efforts, enchaîne Marjorie, si je puis me permettre, étant dans le domaine de la mode et en contact avec les plus grands créateurs de Montréal, Toronto, New York et Paris, je pourrais faire un petit spécial pour retaper votre bureau. Oh ! Tout gratuitement, il va sans dire. Et puis mon mari pourrait ajouter une rallonge à ce placard qui vous sert d'officine et qui fait un peu réduit, si je puis me permettre, n'est-ce pas ?

—Madame, lui répond la directrice au nez un peu fort, je crois que je ne me suis pas bien fait comprendre. L'effort que je souhaite n'a rien à voir avec la décoration de ce bureau que je trouve très bien comme ça. Votre fils présente des résultats scolaires catastrophiques, sans compter qu'il éprouve des problèmes d'ordre comportemental que je qualifierais, disons, d'excessifs.

— Je suis une terreur ! lance Milan en serrant les dents et les poings.

— Dans ce cas, mon garçon, nous allons très bien nous entendre, lui répond la dame au chignon et au nez très long, parce que j'en suis une aussi. On m'appelle La Tornade. Et tu sais pourquoi ?

Je m'en fous...

— Parce que, quand je passe quelque part, je fais place nette. Après moi, y'a plus rien de pareil. On ne distingue plus son cul de sa tête.

Milan reste bouche bée. Pâle, à vrai dire. Il regarde la dame sans savoir quoi répondre.

— Je crois, madame, si j'ose intervenir, bredouille Horace, que vous venez de commettre un excès de langage, me semble-t-il.

— N'est-ce pas ! lui rétorque la directrice avec un sourire extravagant. Et je vous assure que c'était sans effort aucun. (Se tournant vers Milan.) Alors demain, école à huit heures, ici à mon bureau. Aucun retard ne sera toléré. Mon cher Milan, une nouvelle page s'ouvre dans le grand livre de ta vie. Et avant de te présenter devant moi, assure-toi, chaque matin, que la grosse boule tourne bien à l'endroit sous tes semelles.

— La grosse boule ?

— Oui, mon petit prince ! La grosse boule ! La Terre, le monde, ta vie, la mienne, celle de tes camarades. Toujours à l'endroit. Sinon, je vais t'aider à la remettre à l'endroit, vite fait... Tu seras dans la classe de madame Jacques. Eh non ! Ce n'est pas une vraie femme. C'est la terreur des sixièmes (S'adressant cette fois aux parents de Milan.), quant à vous, on se retrouve ici, dans deux semaines à quatorze heures tapantes.

— Oh ! Dans deux semaines, dites-vous ?... Absolument impossible, note Marjorie en consultant son agenda. J'ai un dîner avec Arthuro Bellofine de la maison Forza. Un être absolument éclairant et d'un humour ! Vous adoreriez !

— Je ne crois pas, Madame. Je n'ai, à l'instar de votre fils, aucun sens de l'humour. Annulez !

Deux minutes plus tard, le trio est de retour dans la luxueuse Mercedes de monsieur Horace.

— Cela s'est très bien passé, claironne Marjorie en ajustant son maquillage. Une femme charmante, cette directrice, et si distinguée. Sa robe était un désastre et sa coiffure, d'une autre époque. Mais que voulez-vous, époux chéri, nous sommes au public. Qu'a-t-elle dit vers la fin ? Je n'étais pas très à l'écoute.

— Il était question d'une rencontre, me semble-t-il, épouse très chère. Mais j'ai oublié la date... Bah ! Tant pis ! Nous reprendrons contact dès notre retour de Bora Bora.

— C'est une sorcière ! intervient Milan en crachant par la fenêtre. Elle va souffrir !

— Ah ! Mon fils ! Comme j'admire ta facilité d'adaptation ! À partir de rien, tu sais te faire de nouvelles relations. C'est très bien, ma perle. Dans la société, les contacts mondains, c'est primordial !

3

Le nasique à lunettes

MILAN ARRIVE À L'ÉCOLE À HUIT HEURES trente-deux tapantes. Le nasique est là devant l'entrée, les bras croisés, l'air d'un char d'assaut prêt à cracher du feu. Milan a cherché un nom qui pourrait résumer à lui seul toute la haine qu'il éprouve pour cette bonne femme qui a osé essayer de l'impressionner avec sa grosse voix de camion de dix tonnes. Mais voilà, elle ne pèse pas dix tonnes. Elle serait plutôt mince, avec un nez à marquer les minutes sur une horloge.

Dans son immense *Encyclopédie des animaux*, Milan s'est dirigé, allez savoir pourquoi, vers les primates et les singes. Et là, est apparue dans toute sa grâce l'image la plus grotesque qu'il n'aurait jamais pu imaginer même dans ses rêves les plus fantasmagoriques : un animal si affreux et si risible avec ce nez qui résumait à lui seul tout le ridicule de ce monde : le nasique. Aussi laid que bête ! L'image parfaite !

Milan s'est réveillé ce matin de fort bonne humeur, souriant et tout ragaillardi. Il a pris son petit-déjeuner calmement, s'est habillé de travers avec des vêtements qu'il a triés avec soin dans le panier à linge sale. Il a laissé, derrière lui, cartable et livres, puis il s'est rendu à pied, par des chemins de traverse, jusqu'à sa nouvelle école. Elle va comprendre, le nasique ! Elle va comprendre qu'il est le maître ou, plus exactement, que lui, Milan, ne sera jamais l'esclave de personne. Pour cela, il a décidé qu'un retard de trente minutes suffisait. Mais il ne s'attendait pas à un accueil pareil.

Elle a les bras piqués sur les hanches comme une araignée qui s'apprêterait à dévorer sa proie. Son visage n'a aucune expression. Il y a ce sourire qui dévoile ses longues canines ; on pourrait presque croire que le monstre est content. Mais il y a son regard, noir et cerclé de noir, fixe comme une idée dans la tête d'un cancre.

Milan ravale sa salive. De l'eau roule autour de ses yeux.

Un peu plus et il va chialer. Il est temps de réagir. Alors il prend son courage à deux mains et il lui balance :

— Je ne veux rien savoir de ton école !

Milan a mis bien d'autres mots autour de sa réplique question de faire savoir au nasique qu'il en connaît un chapitre en matière de grossièreté.

Alors bien sûr, ce qui devait arriver arriva. Le monstre à lunettes lui a sauté à la gorge. Elle lui a administré une raclée dont il va se rappeler toute sa vie. Elle l'a mordu. Elle l'a attrapé par les cheveux, lui a arraché une oreille avec les dents, l'a battu à grands coups de bâton comme on le ferait à un vulgaire tapis. Milan ne dit rien. Aucun son ne sort de sa bouche. Elle n'aura pas le plaisir de l'entendre crier, et moins encore celui de l'entendre lui demander grâce.

Et pour cause. La bonne femme n'a pas bougé. Il ne s'est rien passé. Absolument et totalement rien ! Elle continue à lui sourire sans rien dire.

Milan est un peu déçu. Il s'attendait à beaucoup mieux d'une directrice d'école publique. Avec tout le mal qu'on en dit dans sa famille et dans ses anciennes écoles, il espérait au minimum qu'on le fasse passer à travers une porte, ou qu'on le torture, ou qu'on le fasse bouillir dans une marmite en fonte, qu'on l'écorche vif, qu'on l'étripe.

Au lieu de ça, elle le prend par la main, presque avec douceur. Vous vous imaginez ! Ça n'a aucun sens, ça ! Comme un enfant de la maternelle ! Et elle le conduit dans sa nouvelle classe. Ensuite, elle le présente à son professeur, une femme aussi carrée d'épaules qu'un joueur de football, moustache en prime. Ensuite, elle est sortie, non sans lui avoir intimé l'ordre de se présenter à son bureau en fin de journée.

—Vous me devez une heure, monsieur Milan : votre demi-heure de retard plus celle que j'ai perdue à vous attendre. Nous avons donc une merveilleuse heure pour apprendre à nous connaître.

Il n'aura jamais eu aussi honte de toute sa vie. Oser le provoquer devant toute la classe sans qu'il ait eu le temps de réagir ! C'est plus qu'il n'en peut supporter. Ça, c'est certain : il y a là matière à procès. Et quel procès ! Elle n'a pas fini de regretter de l'avoir ainsi humilié devant toute la classe en refusant de le traiter comme le monstre qu'il est !

Le regard de Milan dérive vers les fenêtres où s'étiolent les clartés blafardes de ce jour sans soleil.

C'est là qu'il la voit pour la première fois. Elle vient de pisser contre le poteau de téléphone. Elle essuie ses pattes arrière dans le gazon jauni. Elle s'est assise. Sa belle grosse tête noire s'est tournée vers lui. Une bête superbe, énorme, sale, avec une gueule baveuse, des mâchoires capables de vous arracher un bras. Elle s'est grattée le collier avec sa patte arrière, puis elle s'est levée et elle a repris son errance. Milan a remarqué une légère claudication à chacun de ses pas. Finalement, le chien a disparu de son champ de vision.

Quand il ramène son regard à l'intérieur de la classe, c'est pour découvrir une fille qui le dévisage de ses grands yeux noirs depuis le fond du local. Elle a la peau noire, les cheveux noirs, les lèvres roses et les dents blanches.

« Merde ! fait-il en dévisageant la fille. Une négresse ! Manquait plus que ça ! »

Il la regarde quelques secondes, s'en retourne à la fenêtre, revient. Elle le fixe toujours.

— Qu'est-ce que tu veux, la négresse ? Ma photo ?

C'est à ce moment-là qu'il prend conscience, un peu tardivement diront certains, d'une réalité qui lui a, jusque-là, échappé. La classe est noire de monde. Il les a comptés vite fait : quatorze ! Dix-huit mal blanchis le fixent avec leurs grands yeux en billes de loto et leurs grosses lèvres roses. Milan s'est redressé sur sa chaise.

— Merde ! rugit-il après un moment de confusion. Mais où est-ce que je suis tombé, moi ? Au milieu de la jungle ?

Une main vient de s'abattre sur son épaule. Il ne l'a pas sentie venir, celle-là.

— Jeune homme ! Bienvenue sur la planète Terre ! lui murmure à l'oreille une dame au visage vaguement humain.

Milan n'a jamais rien vu de pareil : un nez évasé, des chairs flasques, des yeux en trous de suce, des rides qu'on dirait une terre labourée, des dents toutes blanches, et une peau verte. Oui ! Verte ! Un vrai monstre, mais pas de la même espèce que lui. Elle, c'est un monstre laid alors que lui, il le sait, fait partie de la catégorie des monstres très beaux.

— Je vais avoir la grande générosité de vous révéler, reprend la voix après un court silence, une vérité qui, je l'espère, ne vous gâchera pas le reste de votre journée. Vous êtes dans une classe ; une classe qui fonctionnait très bien avant votre arrivée. Une classe qui se fout comme de sa dernière couche de peinture, ce qui ne date pas d'hier, vous en conviendrez, de vos états d'âme et de ce que vous pensez. Alors, je vais faire une entente avec vous : vous gardez vos remarques pour vous et nous, nous oublions pour un certain temps que vous existez. En attendant, vous ne ferez rien : ni lire, ni écrire, ni poser la moindre question. Vous allez simplement observer comment se conduisent des êtres humains de constitution à peu près normale. Me suis-je bien fait comprendre, monsieur Milan Brière de Montigny ?

Milan n'a pas osé répondre. Alors, bien sûr, à la récréation, il a pris sa revanche. Il s'est tout de suite mis en quatre pour faire connaître sa présence auprès d'un groupe de garçons de cinquième. Il identifie celui qui lui paraît le plus nase du groupe et il le traite de face de yéti. Comme l'autre n'a pas la moindre idée de ce que peut être un yéti, il imagine tout de suite qu'on se moque de la couleur de sa peau. Il se retourne et quand il voit que c'est le nouveau dont on vient justement de lui parler, celui-là même qui a traité sa sœur de négresse, alors il ne fait ni une ni deux. Il lui fonce dessus.

— Y'a pas de yéti ni de négresse ici ! lance Dieudonné en crachant sa colère au visage de Milan. Y'a qu'un mal bronzé de merde qui va vite apprendre sa première leçon : ici, tu n'insultes personne ou alors tu le payes d'une dent ou deux. Compris, p'tit con ?

Milan se redresse, le sourire aux lèvres, au moment où la cloche sonne. La joue enflée, un œil poché, il jubile. Sa vengeance est en marche. « Ils vont payer, c'est moi qui vous le dis ! »

En passant près de Dieudonné, il voit la fille qui lui a souri en classe. Elle s'approche, elle ramasse sa casquette et la lui tend.

— C'était mon frère, l'informe-t-elle. Va falloir que tu vieillisses, mon garçon ! Et très vite ! Tu es plus immature qu'un enfant de première et ton langage est antédiluvien. Il y a trois générations que les mots *nègre* et *négresse* ne font plus partie du vocabulaire des gens normaux. Il est vrai que tu sembles avoir un développement mental plus bas que celui de mon poisson rouge. Et puis, tu n'as vraiment pas la classe qu'il faut pour être dans cette école. Tes parents n'ont jamais pensé à t'envoyer dans une école privée ?

Là-dessus, elle est partie se mettre en rang. Milan est resté planté là, bête comme un vélo pas de roues. Elle lui a fait signe de la rejoindre dans les rangs. Il l'a fait. Pourquoi ? Il n'en sait rien ! Cette fille, c'est la pire minaudière qu'il a jamais vue. Oser le traiter d'immature, de *sans classe*, d'illettré, lui, Milan Brière de Montigny, fils de... de... de n'importe quoi, mais riche ! Ah ! Qu'ils vont donc le payer ! Et pas plus tard que très vite !

Avant de passer la porte de l'école, il a aperçu, pour la deuxième fois, la grosse bête. Elle est là, assise sur son arrière-train, de l'autre côté de la clôture. Elle le regarde, penaude. Quand les yeux de Milan se sont arrêtés sur elle, la bête a secoué la tête. Elle s'est relevée et elle est repartie vers le sud en claudiquant.

Milan a pénétré dans l'école en compagnie de la négresse en singeant le silence des autres. Lui ! Le monstre des monstres, il a fait ça : il s'est placé en rang sans dire un mot. C'est bien simple, il ne se reconnaît plus. On a dû lui changer la cervelle à son insu, ou alors, c'est le coup qu'il a reçu.

— Tu crois aux rêves prémonitoires ? lui demande brusquement sa compagne.

— De quoi je me mêle !

— C'est parce que, la nuit dernière, j'ai rêvé qu'un nouveau arrivait dans notre classe. Et on devenait les meilleurs amis du monde.

— Tu peux toujours rêver !

— Tu ne rêves jamais, toi ?

—Les monstres ne rêvent pas.

—C'est que tu dois manquer d'imagination. C'est dommage. C'est salutaire de rêver.

—C'est ça !

—Tu dois avoir des blocages cérébraux qui nuisent à l'activité de tes ondes hertziennes.

—Et puis quoi encore ?

—Les ondes hertziennes sont actives dans notre cerveau et ont comme principale fonction d'activer les diverses zones cognitives. Elles joueraient aussi un rôle primordial dans tout ce qui touche l'aspect inconscient de l'activité mnésique et alimenterait le cerveau en activité chimique quand celui-ci est au repos. D'où leur implication probable dans la configuration des rêves.

—Ça ne t'arrive jamais de te la fermer ?

—C'est silence quand on rentre dans l'école, mademoiselle Mélodie.

L'éclat de cette voix sépulcrale a fait sursauter notre brave et courageux jeune héros, mais semble avoir laissé Mélodie tout à fait indifférente.

—Hé ! vous, le nouveau, retirez-moi cette casquette ridicule quand vous entrez dans un lieu public. On ne vous a donc jamais appris les bonnes manières dans ces charmantes écoles privées que vous avez fréquentées ? Et ne me fixez pas avec ces yeux impertinents. Vous ne m'impressionnez pas, jeune homme !

L'homme s'est retourné si brusquement que Milan n'a pas eu le temps de lui balancer l'insulte qui lui était venue à l'esprit.

— C'est Gros Nigaud, le prof de cinquième. Il aime faire étalage de son autorité une fois de temps en temps. Et il semble que je sois sa proie de prédilection. Gros Nigaud, c'est le surnom que lui ont donné les élèves de l'école, l'année où il est arrivé. Le nom lui est resté collé comme une chique de gomme à une semelle. Il se prend pour un ponte, mais c'est une grenouille. Il ne fait peur à personne. Devant lui, tout le monde fait comme ci, mais dès qu'il a le dos tourné, on fait comme ça.

Milan ne l'écoute plus. Autre chose de bien plus important retient son attention. Avant que la porte donnant sur la cour de récréation ne se referme derrière lui, il a jeté un regard vers le bout de trottoir où se tenait la bête juste avant qu'il n'entre.

Elle n'y est plus.

4

La retenue

CE SOIR-LÀ, MILAN N'A PAS RATÉ SA RETENUE. Cela fait partie de sa vengeance. Il a assez d'expérience en matière de retenue pour savoir que c'est bien plus emmerdant pour l'adulte qui doit faire du surplace que pour l'élève qui, lui, bien souvent, n'a aucune envie de rentrer tout de suite à la maison.

C'est du moins le cas pour Milan. Autant, le matin, c'est une misère de s'extraire de son lit douillet pour s'aventurer sur le chemin de l'école, autant le soir, il n'a aucune envie de rentrer dans cette vaste maison aussi ennuyeuse que la pluie. D'autant plus que cette retenue lui permettra de ne pas sortir en même temps que les autres élèves, ce qui lui évitera de se mêler à la progéniture prolétarienne. Et puis, surtout, il n'a pas du tout le goût de se retrouver face à face avec cette négresse de fille qui le regarde comme s'il était le dernier des demeurés.

Il partage la retenue avec l'immense Dieudonné, le frère de l'autre. C'est, paraît-il, le monstre officiel de l'école Saint-Christophe.

C'est du moins ce que lui a soufflé son voisin de pupitre qui lui a conseillé de compter ses dents si d'aventure il s'en prenait encore à Dieudonné. « Il risque de t'en manquer quelques-unes. Dieudonné, c'est comme un éléphant : il n'oublie rien. »

Un éléphant ! Voilà qui convient on ne peut mieux pour décrire cette monstrueuse montagne de muscles et de graisse qui enveloppe une carcasse d'un mètre soixante-dix. La mémoire n'est certainement pas la première caractéristique qui lui serait venue à l'idée pour établir une comparaison entre Dieudonné et un pachyderme. Même quand il parle, il semble barrir.

Madame Cunégonde, le nasique à lunettes, vient de faire son entrée dans la salle qui jouxte son bureau où Milan et Dieudonné poursuivent leur retenue.

— Vous pouvez partir, tous les deux. Quant à vous, monsieur Milan Brière de Montigny, n'oubliez pas que vous nous devez deux autres heures de retenue. Je vous attends demain matin à sept heures pile pour entreprendre cette deuxième journée dans notre école, journée qui vous laissera, j'en suis certaine, les plus merveilleux souvenirs !

Il aura fallu quelques fragments de seconde pour que cette dernière information chemine jusqu'au cerveau de Milan.

— Ai-je bien entendu ? Sept heures ?

— Une heure splendide, mon garçon ! Le soleil se lève à peine. La ville s'éveille dans un doux murmure. L'air est encore gorgé des fraîcheurs vespérales. C'est l'heure des braves.

— Mais c'est journée pédagogique demain. Les élèves ont congé.

— Les élèves en effet, cacarde le nasique. Mais pas les monstres. Demandez à votre camarade Dieudonné, il vous le confirmera. C'est un habitué.

Milan a bien failli répondre que cet Himalaya d'absurdité n'était pas son camarade, qu'il n'avait ni ami ni camarade, surtout pas chez les babouins. Mais le souvenir de sa dernière taloche a retenu son envie. Milan a mis son manteau et il est sorti sans rien ajouter en se disant que le nasique pouvait toujours attendre ; demain, il avait d'autres projets comme celui de rester couché.

En mettant le pied dehors, il voit, assis sur son postérieur, une ombre noire qui attend devant une enfilade de voitures grises stationnées. C'est la bête, celle qu'il a vue à deux reprises durant la journée.

Milan ne peut s'empêcher d'admirer sa superbe tête poilue qui se balance de gauche à droite en piétinant d'impatience sur ses deux énormes pattes avant. Il s'imagine debout à ses côtés au milieu de la cour d'école. Quelle magnifique équipe ils formeraient, les horreurs de l'un mêlées aux horreurs de l'autre ! C'est la première fois de toute sa vie qu'il ressent de l'affection pour un être vivant. Il ne peut résister à l'envie de serrer le chien contre lui.

— Je l'appellerai Calamité et nous serons amis jusqu'à la mort ! ne peut-il s'empêcher de murmurer au moment où il se penche vers elle.

La bête s'est dressée sur ses quatre pattes, les oreilles pointant comme des antennes, la queue ventilant l'air avec frénésie. Elle s'est approchée en boitant. Elle a dépassé Milan, puis elle est allée chercher les caresses de sa jeune maîtresse.

Hé oui ! Vous avez deviné, petits lecteurs futés ! La jeune fille noire ! Celle que Milan a insultée le matin même en la qualifiant de *négresse*. Qu'est-ce qu'elle fait là à une heure pareille ? Elle n'était pourtant pas à la retenue...

— Saleté de sac à puces ! Vous allez tous me le payer, morigène le garçon. Et toi le premier, sale cabot ! Tu ne verras pas arriver ton prochain printemps, foi de Milan !

Quand notre jeune héros s'est retourné, il a vu la grosse masse poilue s'enrouler autour des jambes de la fille qui le caresse avec affection. Tout en flattant l'animal, elle sourit, et Milan se voit de nouveau entraîné, malgré lui, à constater que cette fille-là n'est pas désagréable à regarder. Constatation qui le bouleverse

en vérité ! Car enfin, depuis quand les monstres se mettent-ils à trouver les gens beaux ?

❦

Peut-être est-il temps, ici, d'ouvrir une
parenthèse pour vous parler de notre jeune
héroïne. Elle s'appelle Mélodie Jardinlieu. Elle
vient tout juste d'avoir douze ans. Elle a trois
frères dont Dieudonné est le plus jeune. Les
deux autres, Mathurin et Conseil-de-Dieu
vivent à Port-au-Prince, en Haïti, avec leur père.
La famille Jardinlieu est donc écartelée entre
deux univers bien distincts dont le climat est
sans doute la moindre des différences.
Je ne m'attarderai pas à vous parler des
innombrables raisons qui ont motivé le retour
sur la terre ancestrale du père et des deux frères de Mélodie maintenant adultes. Je me bor-
nerai à vous dire que la demoiselle est née ici,
qu'elle vit avec sa mère et sa grand-mère, qu'elle
n'a jamais mis les pieds en Haïti, qu'elle ne
s'ennuie pas de son père qu'elle a fort peu
connu, qu'elle adore en retour sa mère, sa
grand-mère et son frère Dieudonné. Je vous
dirai aussi qu'elle est heureuse ainsi. Que c'est
l'élève la plus douée de l'école Saint-Christophe.
Qu'elle a gagné le concours annuel du *Combat
des livres du Grand Montréal*, devançant large-
ment ses rivaux venus de tous les horizons et

de toutes les écoles privées et publiques du Québec. Que trois de ses textes ont déjà été publiés dans des revues littéraires pour la jeunesse. Qu'elle a été approchée pour faire partie de l'équipe de soccer Élite du Montréal métropolitain, invitation qu'elle a refusée en raison des horaires incompatibles avec ceux de ses séances de danse classique qui la passionnent.

J'ajouterai qu'elle est entourée d'amies, car, outre sa prodigieuse intelligence, Mélodie est douée d'un proverbial sens de l'humour et d'une capacité incommensurable à répandre la joie et l'harmonie autour d'elle. Et comme nous venons de le voir plus haut, même les bêtes ne lui résistent pas. Mais, ce qui serait odieux ici d'oublier de vous signaler, c'est que Mélodie est d'une beauté prodigieuse avec ce sourire incandescent qui donne l'impression que le soleil l'habite en permanence, même les jours les plus sombres.

5

Gustave le macoute

MILAN EST TRISTE, mais n'allez surtout pas le lui dire. Selon son échelle de valeurs, il ne s'agit pas de tristesse, mais de colère. La tristesse, c'est pour les filles. La tristesse, c'est un aveu de faiblesse qu'il ne saurait en aucun cas s'attribuer. Un monstre n'est jamais triste. Un monstre, c'est enragé, c'est bête, c'est cruel, c'est dur. Rien à voir avec ces états d'âme en forme de caramel fondant que sont les sentiments de tristesse, de solitude, de mélancolie ou de peur.

« Reprends-toi, Milan ! se dit notre jeune ami en calant brutalement son sac à dos sur ses reins. Tu ne vas pas te mettre à chialer devant cette fille tout de même ! Et ce chien pouilleux ne mérite aucune de tes larmes, même de colère. »

Il faudra une bonne heure d'une longue promenade en solitaire dans les rues grises du quartier Saint-Christophe pour qu'enfin Milan trouve le courage de rentrer dans la grande maison installée comme un hôtel de villégiature, en plein milieu d'un parc clôturé et défolié par un automne tardif. « C'est la maison la plus laide du quartier », pense Milan en fixant la masse sombre de la demeure familiale qui disparaît à moitié derrière les hauts murs de briques qui l'isolent du reste du monde.

Plus de deux heures se sont écoulées depuis la fin des cours. Il est dix-sept heures trente. Deux heures d'humiliation !

Quand il a quitté l'école, Milan a suivi la fille, son gros singe de frère Dieudonné et l'horrible chien boiteux, sans que ces trois idiots ne s'aperçoivent de rien. Pour se rendre invisible, il a longé la ligne des maisons, s'engouffrant dans chaque anfractuosité pour échapper aux regards furtifs lancés par la bête poilue qui s'est retournée à plusieurs reprises comme si elle avait senti sa présence. Mais l'imbécile de chien n'a rien remarqué.

À un certain moment, ils ont tourné sur la rue Coloniale. Ils ont traversé un petit parc qui a gardé quelques traces des premières neiges qui sont tombées la semaine dernière. Le trio a ensuite suivi le tracé rectiligne d'une ruelle avant de s'engouffrer dans une cour assombrie par une pergola de bois. Les deux bipèdes sont entrés dans le logement du bas d'un triplex, abandonnant le chien à lui-même devant la galerie.

Milan a vu une femme sourire dans la fenêtre du premier étage. Il l'a vue se pencher pour embrasser ses deux enfants ou ses deux petits-enfants peut-être, car la dame semble âgée. Une autre femme plus jeune est arrivée sur ces entrefaites. Voilà ! C'est elle, la mère. Milan se surprend à la trouver belle.

Quelle horreur ! Surveille-toi, Milan ! Tu vas finir par devenir presque aimable à force de trouver les gens beaux. La plus jeune femme a pris son gros idiot de fils et l'a serré contre elle, puis elle a embrassé la négresse sur les deux joues. Milan trouve ces effusions inconvenantes.

« Ils peuvent bien être pauvres ! » ne peut-il s'empêcher de marmonner. Il ressent tout de même un vague dégoût en réalisant qu'il les envie secrètement.

Les occupants de la maison rient à présent. De quoi ? Milan l'ignore. Peut-être rient-ils de lui.

Peut-être la négresse vient-elle de raconter à la famille les événements de la journée. Et peut-être que la grosse bête de fils a fait le compte de la dégelée qu'il a administrée au petit blanchon. Le dégoût que Milan a ressenti pour lui-même, il y a un instant, voilà qu'il le retourne maintenant contre cette famille heureuse qui tire son bonheur de son malheur à lui.

« Ah oui ! Ils vont le payer très cher ! Ma vengeance sera terrible ! »

Milan s'est approché de la clôture qui ceinture la cour de la maison. Le chien boiteux a détourné la tête. Son regard a croisé celui du garçon. Milan l'a appelé.

—Chien-chien ! Viens ici, mon chien ! Viens ! Bss ! Bss ! Viens, mon chien ! Viens !

Pour toute réponse, la bête poilue a détourné sa grosse tête et s'est remise à la contemplation passive de la porte d'entrée.

—Saleté de sac à puces ! rugit Milan entre les dents tout en cherchant encore à attirer l'attention du chien. Tu vas m'obéir ? Viens ici !

Milan s'est penché. Il saisit une roche.

Au moment où il lance la pierre, la porte de la maison s'ouvre. La négresse sort avec un plat dans les mains. La bête s'est aussitôt levée sur ses pattes. La pierre a atterri trois mètres trop loin. Le bruit du projectile sur la terre gelée a attiré le regard de Mélodie. Elle ne voit rien. Elle se penche vers la chienne et abandonne devant sa gueule baveuse l'assiette qu'elle a préparée à son intention.

Milan s'est enfoncé derrière le muret de ciment qui longe le garage. Et bien sûr, comme c'est le cas pour tous les monstres qui cherchent à passer inaperçus, Milan s'est fait surprendre le derrière levé à la hauteur de la gueule heureusement muselée, mais mugissante, d'une deuxième bête qu'un gaillard aussi noir que la nuit tient au bout d'une laisse. Le maître du chien, qui est accompagné de deux lieutenants, aux idées aussi sombres que la couleur de leur peau, s'est approché. Il s'est penché vers Milan et l'a attrapé par le collet. Milan est devenu couleur craie.

— Lâche-moi ! a-t-il le courage d'articuler, en mettant dans sa voix tout ce qui lui reste de bravoure.

En voyant la bête s'approcher de lui en grognant, Milan s'est mis à gigoter.

— Toi, sale tas de poils puant, ne t'approche pas, hurle-t-il en lançant ses pieds dans toutes les directions, en tentant de se protéger. Sa bottine a effleuré le museau du molosse qui s'est mis à glapir de douleur.

Le maître a projeté Milan trois mètres plus loin.

— Ne t'avise plus jamais de toucher à mon chien, sale face de meringue blanchie au lait caillé. Tu bouges ne serait-ce qu'un orteil, et je lui retire sa muselière. Et là, je te préviens, Brutus s'amusera avec tes fesses comme avec un bon steak saignant.

Les vociférations du maître ont attiré l'attention de Mélodie.

— Tiens ! s'exclame-t-elle, si ce n'est pas le terrifiant Brutus qui promène son maîmaître au bout de sa lailaisse ! Tu t'es trompé, mon beau chien-chien : la muselière, ce n'est pas pour toi, c'est pour ton Gustave de maître qui n'arrête pas de baver... Alors Gustave, mon chou, tu t'amuses à effrayer les mouches ? Mais que vois-je ? Tu t'es fait accompagner par tes deux superbes petits caniches de prédilection : le débile Mustapha, dit *Point-Virgule*, et l'inénarrable Léo qui, je crois, n'a pas encore réussi à apprendre à écrire son nom sans faire de faute. Quelle classe !

— Tiens ! Mais si ce n'est pas la pétillante Baby Doc qui donne la pâtée à un membre de sa charmante famille, rétorque le Gustave en question, le corps aussi droit qu'un i majuscule. Toujours ton humour de chiotte ? Je vois que tu as dégoté de nouveaux mots dans le dictionnaire de la langue française : prédilection et inénarrable ! Wow ! Et les deux mots à l'intérieur d'une phrase complète ! Ma foi, on va finir par croire que tu es presque intelligente.

— En effet, mon cher Gugus ! Il est dommage que dans ton cas on ne puisse jamais penser la même chose. Où as-tu planqué ta cervelle aujourd'hui, dans ton fond de culotte ou sous la plante de tes gros pieds puants ?

— Tu ne chanterais pas la même chanson, Baby Doc, si tu étais à deux pouces de moi.

— En effet, mon joli toutou. Mais ne t'en fais pas pour moi, je ne serai jamais aussi près de toi.

— Dans ce cas, tu ne sais pas ce que tu manques, chérie.

—Je crois que je le sais, justement, Gus...

—Entre nous, les mots sont superflus ; les gestes suffisent, si tu vois ce que je veux dire.

—Gus ! Ne te tourmente pas pour moi. Tu n'auras jamais assez ailleurs pour compenser ce qui te manque de cervelle. Mais laissons cela. Je vois que tu t'es fait un nouveau camarade. Et comme d'habitude, tu les déniches dans un tas de poubelles.

—Ha ! Cette fois-ci t'as tout faux, ma jolie. J'ai découvert cette face de mal bronzé en train de te reluquer depuis la ruelle. Alors, ne reculant devant aucun danger pour te venir en aide, je crois que je vais lui botter le derrière et lui faire avaler quelques-unes de ses dents.

—Et comme de juste, tu te mets à trois contre un pour prouver ta force. Mais si c'est seulement pour me protéger, alors tu retardes de quelques heures. Ce gentil garçon est mon ami depuis ce matin.

Le dénommé Gustave a laissé échapper un éclat de rire. Et il a pris ses deux acolytes à témoin.

—Oui ! La nouvelle m'est parvenue. Il paraît qu'il t'a traitée de poufiasse. Juste pour ça, il mérite déjà une sévère correction.

—Non, Gus. Il m'a juste traitée de *négresse*.

—*Négresse* ! se sont exclamés presque horrifiés les trois confrères et le chien qui s'est mis à aboyer au travers de sa muselière.

M<small>ILAN ET LE CHIEN BOITEUX</small>

— Il m'a expliqué que, dans son patelin, ce mot signifiait : *beau brin de fille*. Alors desserre les griffes, mon Gugus. Milan est mon nouvel ami. Il a eu la gentillesse de me reconduire jusque chez moi. Alors tu peux passer ton chemin. Et puis amène ton clébard avec toi et les deux clochards qui te servent de lieutenants d'infanterie... Et tu ferais bien d'effacer toute trace de ton passage dans notre ruelle avant que mon frère n'aperçoive ta face de faux jeton. Tu sais qu'il te cherche encore pour l'affaire de sa toupie brisée il y a cinq ans. Sans compter qu'ici, ça commence à sentir le *macoute*.

— Fais attention de ne pas t'étouffer avec tes sales paroles, Mélodie. Un jour, je pourrais bien ne plus trouver drôles tes fines allusions...

Puis montrant d'un doigt menaçant la grosse chienne qui continue à bouffer le contenu de l'assiette, il ajoute : « je te conseille de faire gaffe au tapis de poils qui te sert d'animal de compagnie. Il boîte déjà. Si je me fâche et si je retire sa muselière à Brutus, en dix secondes, cette sale bête pourrait bien ne plus respirer. Viens, toi ! clame-t-il en tirant sur la laisse d'un geste vindicatif. »

Puis, s'arrêtant devant Milan, Gustave lui flanque son poing dans le plexus. Milan va bouler dans le tas de poubelles et n'en bouge plus jusqu'au départ de ses tortionnaires.

Mélodie s'approche de Milan qui végète dans son tas de poubelles, la voix étouffée par la douleur.

—Je suis désolée...

—Ne me touche pas, sorcière ! hurle-t-il en cherchant à se dégager de son humiliante position.

—Ben quoi ? Je veux juste t'aider. Et puis, que faisais-tu ici à m'observer comme un vulgaire espion ?

—Ce n'est pas toi que j'observais, c'est ton chien.

—Eh bien ! Ça t'apprendra à espionner les gens.

Milan ne lui répond pas. Il vient d'apercevoir la bête venir vers lui en grognant et en bavant. Ses yeux verts s'écarquillent et toutes ses taches de rousseur se mettent à bouger toutes seules au milieu de son visage.

—Merde ! Ah non ! Pas ça !

Milan essaie de se remettre debout. Il glisse sur une couche pleine de crottes, se redresse, glisse à nouveau.

La grosse chienne noire vient de lâcher son repas. Consciente qu'un danger guette sa jeune maîtresse, elle s'est mise à la poursuite de Brutus qui s'apprête à sauter sur un Milan vert de peur. Les deux chiens roulent l'un sur l'autre en grognant de rage. Puis, une poursuite s'engage, entraînant la chienne claudicante dans une course qu'elle n'a aucune chance de gagner.

—Caresse ! Reviens ici, ma belle ! hurle Mélodie.

La bête ne lui obéit pas. Mélodie se retourne juste au moment où réapparaît Gustave suivi de ses deux lieutenants.

—Alors, les amoureux ! On ne rit plus !

—Vous allez me le payer, bande de...

Les derniers mots de Milan se sont perdus dans les aboiements des chiens qui semblent impliqués dans une violente bagarre.

Gustave ricane méchamment, suivi de ses deux faisans. Les bruits de bataille s'estompent avec un dernier jappement accompagné d'une longue plainte lâchée par l'une des deux bêtes. Caresse, la chienne boiteuse de Mélodie, est revenue en trottinant. On entend, au tournant de la rue, l'autre bête qui se lamente. Gustave et Mélodie ont échangé un long regard. Puis Gustave s'est mis à courir en direction de l'endroit d'où provenaient les couinements de Brutus.

6

Y'a des jours comme ça !

MILAN EST RENTRÉ sans que personne ne vienne vers lui. Il a mis ses vêtements sales dans un tas au milieu de sa chambre. Il s'est dirigé vers la salle de bains. Il a pris une longue douche très chaude.

Là, il a pleuré. Les larmes se mêlent à l'eau de la douche et se perdent dans la bonde où s'écoulent les souvenirs de la journée. Pas de sanglots, que des larmes. Elles sont déjà de trop. Mais sans les sanglots, les larmes demeurent muettes et invisibles ; personne ne pourra les distinguer de l'eau qui coule sur son corps si, par inadvertance, quelqu'un commettait l'erreur de s'introduire dans la salle de bains de sa chambre pendant qu'il y fait ses ablutions quotidiennes.

Depuis plus d'un an, à chaque retour de l'école, Milan prend une douche. On ne lui a jamais demandé pourquoi. Question, sans doute, de se laver de tous les tourments de la journée. Ou pour se débarrasser de l'odeur de l'école. Ou, plus simplement pour se calmer les nerfs. Chaque soir, il met ses vêtements en boule au milieu de la pièce et il n'y touche plus, comme s'ils étaient contaminés par des radia-tions nucléaires. Il retire son slip, et là, nu comme un ver, il plonge sous une douche très chaude qu'il laisse couler sur son corps sans même prendre la peine de se laver. Parfois, il pleure, mais rarement. Ce soir, il pleure. De rage, d'humiliation.

Les coups que lui a administrés ce Gustave ont laissé des traces : une contusion sous les côtes et une joue éraflée. Ce n'est pas ce qui l'attriste. Les coups, il y est habitué. Milan en a reçu bien plus qu'il n'en a donné. Et c'est très bien ainsi. C'est sa manière de se venger. Rece-voir des coups, c'est sa façon d'entretenir sa colère, de rester un monstre. Un jour, cette haine qui l'habite lui servira. Pour l'instant, elle est son carburant qui alimente l'impitoyable foyer de colère qui lui ronge l'âme, le cœur, les os et la peau. Mais bientôt surgira de cette fournaise ardente la plus cruelle riposte qui se puisse, une riposte qu'il prépare depuis des années contre le monde entier. Et quand le malheur frappera, il n'épargnera personne.

Mais aujourd'hui, ce ne sont pas les coups qu'il a reçus qui le rendent triste ; c'est le chien. Le chien et la négresse.

Cette fille est la pire peste qu'il ait jamais connue. Elle a été la source de toutes les humi-liations subies aujourd'hui. C'est à cause d'elle que son gros singe de frère s'en est pris à lui dans la cour d'école. C'est encore à cause d'elle que le semnopithèque décérébré de Gustave et ses deux tas de merde de lieutenants l'ont réduit en miettes dans la ruelle. Mais surtout, surtout, c'est elle que cette magnifique bête, ce splendide chien, tout déglingué qu'il soit, a suivie.

Milan l'aime, ce chien. C'est lui qui l'a vu le premier par la fenêtre de la classe. Tout de suite il a compris que ce gros tas de poils mal peignés et lui étaient faits pour s'entendre. C'est le chien auquel il a rêvé depuis qu'il est tout petit et que sa mère et son père lui ont toujours refusé. Mais il a fallu que cette sorcière intervienne à nouveau et le lui pique sans qu'il ne puisse rien faire.

Oh ! Elle va le lui payer ! C'est certain. Mais comment ? Ça, c'est une autre paire de manches. Parce que les choses se bousculent dans sa tête. Plein de pensées en même temps. Non, erreur ! Pas plein de pensées ; une seule, une toute petite, minuscule, microscopique pensée qu'il a du mal à cerner. En fait, il n'a aucun mal à la cerner ; disons plutôt qu'il refuse de la voir, cette pensée. Cette fille, cette harpie, cette horrible mégère aussi noire qu'une réglisse noire, non, plutôt chocolat au lait, oui c'est ça, un délicieux chocolat au lait avec des dents toutes droites et toutes blanches.

Cette fille qui ne ressemble en rien à une fille d'ailleurs, en tout cas qui ne ressemble à aucune autre fille qu'il a connue jusque-là, ben, voilà, Milan la trouve... belle !

Et de toutes les humiliations subies durant cette infernale journée, cet aveu à l'égard de quelqu'un qu'il a pour premier devoir de mépriser est le pire de tous. Il est la révélation d'un état de faiblesse qu'il ne peut se permettre d'entretenir. Lui, le monstre, le tarasque, l'hydre à trois têtes, l'innommable Léviathan du quartier Saint-Christophe, il ne peut pas se permettre de trouver quiconque joli, surtout pas cette fille. Et pourtant, malgré tous ses efforts, il ne parvient pas à la détester. Elle occupe toutes ses pensées. Ça ne lui est jamais arrivé jusque-là. Jamais il n'avait pu retenir le nom d'une fille aussi vite. Elle s'appelle Mélodie : Mélodie Jardinlieu. Même le nom est joli.

Et puis, il y a le chien. Le chien est une chienne. Elle s'appelle Caresse. Et Caresse est la chienne de Mélodie. Tout ça n'a aucun sens.

Il aime Caresse et il déteste Mélodie Jardinlieu. Voilà ! Il déteste son gros idiot de frère aussi, et sa mère et son horrible grand-mère. C'est ça la vérité. Il la déteste, elle et toute sa famille. Il en est absolument certain. Si certain, en fait, qu'il n'en est pas sûr du tout.

Il s'est séché les cheveux et il est descendu souper après que sa gouvernante l'eut appelé

à huit reprises, toujours sur le même ton monocorde. Il a mangé seul.

Tant mieux ! Comme ça, il n'aura pas à expliquer son œil poché à ses parents, quoiqu'il
soit certain que ni l'un ni l'autre ne s'en seraient
aperçu.

Il a soupé tout nu, comme il lui arrive toujours de le faire quand il est seul à table sans
que, là encore, personne ne trouve à redire. Sa
gouvernante précédente avait exigé qu'il s'ha-
bille. Milan lui avait versé le contenu de son
potage aux choux-fleurs sur la tête.

Après le dessert, il a déposé sur la table de
sa gouvernante le contenu de son sac d'école.
La jeune femme a fait les travaux scolaires de
Milan.

Il s'est ensuite réfugié dans sa chambre et,
durant toute l'heure qui a suivi, il a commencé
à dresser son plan concernant le cadeau qu'il
réserve à sa vieille chipie de grand-mère avec
qui il devra passer le prochain temps des Fêtes.
On en est loin encore, mais il ne veut pas rater
son coup par manque de temps comme ce fut
le cas l'an dernier lorsque le 24 décembre au
soir, il n'avait pu bricoler correctement le mécanisme de détonation.

Après avoir passé l'heure à chercher sur
Internet les plans de la surprise qu'il prépare,
il abandonne. Il ne retrouve pas le site. Tant

pis, il se reprendra demain. Il finira bien par remettre le doigt dessus.

Pour l'instant, il est occupé à une autre tâche : mettre à jour la liste de ses ennemis. Déjà cent vingt-trois noms y figurent. Mélodie Jardinlieu occupe l'avant-dernière place, et son macaque de frère, la cent vingt-troisième. En haut de la liste figure le nom de l'ancienne directrice de la très privée école Saint-Louis-de-Montfort. Suivent des noms de professeurs, de directeurs d'école et d'élèves contre qui pèse une lourde peine qu'il lui reste à déterminer. Ça viendra en son temps.

Milan vérifie qu'il n'a oublié personne : en cent dix-neuvième place, comme il se doit, la présente directrice, le monstre des monstres, puis l'adipeuse madame Jacques qui n'a vraiment rien d'une dame, et enfin le mirifique Gustave et son horrible chien. Celui-là n'a pas vu Milan souligner son nom d'un trait rouge. Heureusement. S'il le savait, il ferait dans sa culotte ! Milan ne souligne jamais un nom d'un trait rouge sans qu'il n'en coûte un maximum au propriétaire dudit nom.

Chaque nom est accompagné de quelques lignes qui expliquent les motifs de sa présence sur la liste noire. Près de celui de Mélodie, il n'y a rien. En fait, Milan a du mal à mettre de l'ordre dans tous les reproches qu'il adresse à cette fille. Plus il pense à elle, plus il est troublé.

Un moment, il entend la voiture de son père se garer derrière celle de sa mère qui est rentrée deux minutes plus tôt. Milan a entendu la portière de l'auto claquer, puis des pas sur les pierres du sentier qui mène au patio. La porte de la maison a été ouverte presque silencieusement.

— Époux cher, vous voilà donc rentré !

— Amie très chère, ainsi le constatez-vous... Vîtes-vous Milan, notre fils ?

— Nenni, Horace mon époux. Glutamine, la gouvernante, m'a dit qu'il avait rejoint ses appartements. Elle vient d'ailleurs de terminer ses travaux scolaires.

Et la conversation s'est poursuivie entre ces deux étrangers. Comme Milan déteste la manière pédante et froide que ces deux-là ont de s'exprimer ! Comme s'ils appartenaient à un autre siècle, à un autre monde. Comme s'ils ne se parlaient pas.

Milan n'aime pas ses parents. En fait, il les déteste. Mais pour il ne sait trop quelle raison, il a renoncé à se venger d'eux. Peut-être, dans son subconscient, subsiste-t-il le sentiment confus qu'ils lui sont utiles. Et puis, il sait très bien que, quoi qu'il fasse, il ne pourra jamais les atteindre. Alors pourquoi perdre son temps ?

Il s'est couché nu. Ce qu'il a fait, une fois couché, ne regarde que lui-même. Mais le visage de Mélodie ne le quitte plus. Alors, il a retiré les couvertures. Il s'est levé, est allé à son ordinateur et a biffé le nom de la négresse de la liste des criminels.

En passant devant la fenêtre de sa chambre, il a aperçu une forme sombre se mouvoir sur la pelouse jaunie de la cour arrière près de la longue piscine vidée pour l'hiver. Milan s'est approché. Rien ! Pourtant, il est certain d'avoir vu quelque chose se déplacer dans la cour arrière. Ça n'a pas pu disparaître comme ça ! Il est certain que c'était… Il ne résiste pas. Il dégringole l'escalier et ouvre la porte patio.

Il n'a même pas pris le temps de se couvrir et c'est, nu encore, qu'il atterrit au milieu des plates-bandes de la cour arrière. Il est tout seul au milieu de la nuit. L'ombre s'est dissoute dans le froid glacial de novembre. Milan sourit. Il a bien reconnu cette ombre fugitive. Et avant de quitter les lieux, Caresse, la chienne noire, a laissé pour lui un cadeau de grande valeur, tout au moins pour un chien : un os à peine entamé juste devant la porte.

7

La femme grenade

L E LENDEMAIN MATIN, Milan ne s'est pas présenté à l'école pour sa retenue. Le lundi suivant, la monstrueuse directrice n'a pas semblé s'en émouvoir et n'y a même pas donné suite. Milan est déçu. Il s'attendait à plus de résistance de la part du nasique, à plus d'obstination, d'intensité, de rigueur. Ça a été presque trop facile de la mettre à sa main. Surtout que la dame se prétendait le monstre des monstres. Il l'avait crue au début et l'avait même crainte.

Milan est tenté de la retirer de sa liste noire. Mais quelque chose lui dit de n'en rien faire.

« *Pas encore, pas tout de suite !* » lui murmure une petite voix à l'intérieur de son cerveau. Et elle a eu raison, la petite voix. Un événement imprévisible et démoniaque se prépare à l'insu de Milan qui va lui prouver une fois pour toutes que cette directrice est bel et bien le monstre qu'elle prétend être. Cela s'est produit le jeudi de la semaine suivante, en pleine nuit.

La bonne femme, tout de noir vêtue, casquée et cagoulée, a atterri dans le jardin de la grande cour arrière de la maison familiale. Comment elle s'y est prise ? Ça, il l'ignore. Elle a tiré d'un sac noir une échelle télescopique à trente barreaux, assez longue pour rejoindre les étoiles qui sont absentes du ciel cette nuit-là. La grosse chienne noire l'accompagne. Elle assiste la bonne femme dans son ascension vers le ciel. Dans sa gueule, elle tient le bout d'une corde qu'elle tire, allongeant les bras de l'échelle jusqu'à ce que celle-ci s'appuie sur la corniche de la maison.

La directrice s'est penchée vers la bête et lui lancé un os. Est-ce celui que la chienne a abandonné dans le jardin une semaine plus tôt ? Mystère ! Même moi, qui suis l'auteur de cette extraordinaire histoire, je ne pourrais le dire. C'est vous dire combien le mystère entourant cet os est… mystérieux. Oui ! Mystérieux ! Je ne vois pas d'autre mot qui puisse mieux convenir.

Mais faisons taire cet os mystérieux et revenons à la directrice qui vient de sortir de son gros sac noir un pied-de-biche, trois grenades qu'elle fiche à un gros ceinturon attaché à ses hanches et une mitraillette chargée de balles à perforation en vrille : les plus meurtrières.

Le nasique à lunettes se déplace en silence le long de la corniche. Arrivé à la hauteur de la chambre de sa mère, Milan l'a vue arracher la fenêtre d'un seul coup de pied. Milan l'a vue s'introduire dans la pièce. Un pan de sa vieille robe fleurie, qui dépasse comme un jupon de son ciré noir, est resté accroché à une des pentures de la fenêtre, découvrant par le fait même une grosse jambe poilue semblable à celle d'un loup.

Ensuite tout est allé très vite. Trois terribles explosions, des bruits de coups de feu. Sa mère s'est fait éventrer et son père clouer au mur de la chambre par une rafale qui vient de le trancher en deux à la hauteur du bas-ventre. Les deux morceaux gigotent comme des vers de terre au bout d'un hameçon. Des bouts de tripes et de cervelle dégoulinent sur le mur. Tout ce que Milan entend, ce sont ces paroles lâchées en cadence avec les tirs de la kalachnikov :

— Je vous avais pourtant prévenus. Je vous avais dit de vous présenter à l'école. Vous avez osé me désobéir ! Voilà ce qu'il en coûte à ceux qui s'opposent à la volonté de Super-Nasique !

Une odeur entêtante de poudre se répand dans toute la maison. Le silence s'installe. Milan vient de pisser dans son lit. C'est ça qui le réveille. Il a un sourire aussi large qu'un croissant de lune. Il finira la nuit sur le plancher froid de sa chambre. Pisser au lit est une de ses plus grandes jouissances.

Tout ça n'était qu'un rêve. Mais quel rêve tout de même ! Il faudra qu'il pense à retirer de sa liste noire le nom de sa directrice. Il se rendort aussitôt et rêve aux fleurs et aux petits oiseaux.

Le lendemain, à la première heure, ses parents ont abandonné leurs obligations professionnelles pour se présenter à l'école comme le leur avait ordonné le nasique à lunettes le jour de son inscription.

C'est bien la première fois que ses parents obéissent à un ordre venu de son école. Un exploit de son nasique de directrice qui impressionne fortement notre jeune héros.

Le soir même, après la classe, il s'est présenté de lui-même à sa retenue. Le nasique l'a reçu avec cordialité et lui a refilé une copie qu'il mettra trois jours à terminer en y consacrant l'essentiel de sa fin de semaine.

Du temps libre, les fins de semaine, Milan en a à revendre. Sans amis, ses parents exilés dans quelques cocktails ou soupers d'affaires, cette activité est venue combler quelques heures de solitude.

En sortant de l'école, ce vendredi-là, Milan est à peu près satisfait de sa journée. Il s'est fait mettre trois fois à la porte de la classe. À la récré, il s'en est pris au plus grand de sixième qui lui a foutu une nouvelle raclée. Le tout s'est terminé avec un menton en compote. Mélodie s'est approchée en tenant sa tuque dans la main.

— Tiens, le monstre ! Tu es peut-être un peu con dans ta manière de t'en prendre au monde entier, mais au moins tu ne manques pas de cran.

Elle a voulu l'aider à se relever. Ce fut sa seule erreur. Pour la galerie, Milan l'a bousculée en lui disant qu'il n'avait pas besoin de l'aide d'une né... de personne pour se relever.

— Bien sûr ! lui a rétorqué Mélodie en s'éloignant. Tu devrais chercher sous la neige, des fois que tu ne retrouverais pas un morceau de ta cervelle. Se remettre sur ses jambes, ce n'est jamais difficile. Un enfant de deux ans qui apprend à marcher ne fait pas autrement. Mais lui, au moins, quand il tombe sur son derrière, il n'a personne à blâmer.

Milan a voulu lui répondre, mais au moment où il allait ouvrir la bouche, l'immense frérot passait à côté de lui. Alors, Milan a préféré se taire. Il n'avait pas besoin d'une nouvelle mornifle pour lui rappeler qu'il était un monstre.

Milan sort de l'école à seize heures trente. Il prend une grande respiration. Il fait froid. On annonce de la neige pour demain. La fin de semaine s'annonce d'un ennui mortel ; rien de tel pour alimenter l'humeur acide du monstre qui sommeille en lui. Il sent qu'il sera parfaitement odieux avec tous les gens de la maison et ça l'enchante.

En baissant les yeux, il aperçoit la bête poilue couchée, comme c'est son habitude, juste devant la porte de l'école. Milan a senti son cœur se gonfler à nouveau d'un amour sincère pour cette bête aux assiduités si loyales. Il l'a regardée un bref instant, mais il ne lui a pas adressé la parole, sachant très bien qu'elle n'est pas là pour lui. À quoi bon espérer ? Et puis, autant partir au plus vite. S'il traîne dans le coin, ne serait-ce que quelques secondes, il risque de tomber sur la propriétaire de cette foutue bestiole et, ça, il en a aussi envie que d'une deuxième varicelle.

Trop tard ! Derrière lui, la porte de l'école vient de s'ouvrir sur un grand éclat de voix.

— Allô, ma belle Caresse ! Tu m'attendais ? Mais oui, t'es belle ! Moi aussi, je t'aime ! Allez, viens ! On rentre !

Milan s'est remis en marche *illico presto* afin d'échapper aux pitoyables jérémiades de la bête qui se tortille de bonheur aux pieds de sa maîtresse. Puis il a entendu des pas rapides derrière lui. « Elle me court après, on dirait. Quelle tache ! » Il accélère, cherchant à échapper à sa poursuivante qui s'est mise à trottiner derrière lui.

— Hé, le monstre ! Je ne te cours pas après, si c'est ce que tu crois. T'as juste oublié ceci !

Milan tâte ses poches. Rien n'y manque ! Il a son affreuse tuque, son affreux foulard, ses affreuses mitaines, son affreux sac d'é... Ha ! Non ! Tiens ! Pas de sac ! Merde, faudra bien que je m'arrête. Voilà ! C'est fait. Ses deux jambes se sont immobilisées, mais pas tout à fait en même temps, l'une a manqué de synchro, ce qui explique que notre cher Milan s'est enfargé dans ses Nike. Il se prend une fouille catastrophique qui l'envoie paître au milieu d'un tas de poubelles.

—C'est une habitude chez toi de te répandre comme ça dans tous les tas d'immondices que tu croises ? lui lance Mélodie dans un ricanement si communicatif que Milan, malgré sa colère et son humiliation, ne peut se retenir de rire.

Elle s'est approchée et lui tend son sac.

—C'est réconfortant de te voir rire ! Ça te donne un air moins bête. Tu sais, le rire est le propre de l'Homme et...

—Bon, ça va ! Tu n'as pas à me faire la preuve de tes merveilleuses connaissances générales. On n'est pas en classe. Et puis je ne suis pas un être humain, je suis un...

—Monstre ! Je sais ! C'est du moins l'idée que tu te fais de toi-même. Les gens ont souvent une idée trompeuse de ce qu'ils sont vraiment.

— Je n'ai pas besoin non plus d'une psy. Ça, j'ai déjà ! Et puis ne m'emmerde pas. Je ne t'ai rien demandé.

— Je dirais, continue Mélodie ignorant la dernière remarque, que tu es plutôt une espèce de tête à claques qui reçoit plus en ration de mornifles qu'il n'en donne. J'ai déjà vu des monstres plus monstrueux.

— Tu ne comprends rien à rien. Alors n'insiste pas.

— Ah ! Je ne comprends pas ? Peut-être ! Alors faudrait m'expliquer. Parce qu'au rythme où vont les choses, il te faudra bientôt une deuxième tête pour recevoir toutes les taloches qu'on te destine. Ça pleut sur ta caboche comme une drêche de novembre.

— C'est ma manière.

— Ta manière ?

— D'être un monstre.

— D'être un monstre ?

— Oui ! Ils croient avoir le dessus sur moi. Ils se trompent. C'est comme ça que j'emmagasine mon agressivité. Chaque coup que je reçois, c'est comme de l'essence qu'on mettrait dans une voiture. Quand j'aurai fait le plein, quand je me serai gavé de toute l'énergie qu'il me faut, alors ma vengeance s'exercera avec une violence comme on n'en aura encore jamais vu. Et malheur à ceux qui se mettront en travers de mon chemin.

—Ça peut se défendre comme théorie. Mais si tu veux mon avis...

—Justement, je ne le veux pas.

—Tu ne fais pas le poids. Tu n'es pas du bois dont on fait les monstres. À mon avis, tu serais plutôt du côté des bons garçons qui s'ignorent. Il y en a beaucoup.

—Bon ! Merci pour mon sac d'école et bonne fin de semaine. Je dois rentrer.

—Un monstre n'aime pas les chiens comme tu aimes Caresse, insiste Mélodie, et il n'espionne pas les gens depuis la cour arrière de leur maison.

—Ce sac à puces ! s'étrangle Milan en observant la bête d'un regard oblique. Tu crois que j'aime cette bête ?

—Ben ouais !

—Alors là, tu te trompes, ma vieille ! Je l'aime autant qu'une vache aime les mouches.

—Qui te dit que les vaches n'aiment pas les mouches ?

—Et toi, qui te dit que je t'espionnais depuis la cour arrière de ta maison ?

—Tu pourrais au moins me remercier.

—Te remercier ? Et pourquoi ?

—De t'avoir sauvé la vie ce soir-là contre Gus et sa bande de voyous.

—Ils n'étaient que trois ! Ça ne fait pas une grosse bande. Je n'avais pas besoin de ton aide. J'aurais très bien pu m'en sortir tout seul.

— C'est aussi ce que disait la mouche à la guêpe qui venait de piquer le derrière de la grenouille. La fois suivante, elle s'est fait bouffer, la mouche, par la grenouille, faute de guêpe pour lui piquer les fesses. À la grenouille, pas à la mouche.

— J'avais compris. Je ne suis pas idiot ! Bon d'accord ! Merci ! Maintenant, lâche-moi les baskets, O.K. ?

— C'est un méchant, le Gustave, riposte Mélodie avec un pincement des lèvres qui témoigne de sa contrariété. Faut pas le prendre à la légère.

— Qu'est-ce qu'il a de si épouvantable, ce gars-là, à part son affreux molosse ?

— Gus est pourri de l'intérieur, répond Mélodie. Il lui manque quelques boulons au cortex cérébral, si tu vois ce que je veux dire. Fils et petit-fils d'anciens macoutes, prétend ma grand-mère.

— Macoutes ?

— Je ne sais pas très bien moi-même ce que ce mot signifie, avoue Mélodie en replaçant une mèche de ses cheveux qui vient de se détacher de sa tignasse. Tout ce que je sais, c'est que c'étaient des gens cruels qui terrorisaient la population d'Haïti du temps d'un certain dictateur dont j'ai oublié le nom. Il est vrai que n'ayant jamais vécu en Haïti... L'histoire de ce pays m'est un peu étrangère. Et puis, elle est tellement triste que je ne sais pas si j'ai le goût de la connaître vraiment. Le Gus a aussi deux frères. En prison pour l'instant.

— En prison ! Pourquoi ?

— Ils font partie des Bo-Gars, un gang de rue qui sévit dans le nord de la ville.

— Des monstres ! se met à rêver Milan.

— Non ! Deux tarés. Trafic de drogue, prostitution, extorsion. Ils ont été pris dans une fusillade en plein centre-ville ; blessés, arrêtés, jugés, condamnés. Des pas drôles du tout ! J'ai su qu'à leur sortie de prison on allait les rapatrier en Haïti où ils seront à nouveau libres de faire la pluie et le beau temps. Le Gus suit leurs traces. Si tu veux mon avis, cette famille-là a le mal imprimé dans sa chair. Gus est le pire taxeur du quartier. Tout le monde le sait, mais personne ne fait rien...

Mélodie s'arrête de parler comme si ce qu'elle venait de dire suffisait à nourrir plusieurs minutes de silence. Mais les minutes se font rares et elle reprend aussitôt d'une voix presque enjouée.

— Moi, il ne me fait pas peur, le Gus. Surtout si mon frère est dans les parages. Ou bien Caresse. C'est une chienne qui n'a l'air de rien.

— En effet, admet Milan en fixant la bête qui les devance en boitillant.

— Mais c'est une chienne étonnante.

—Tout ce que je vois d'étonnant en elle, c'est qu'elle boite tout le temps.

—Je l'ai connue comme ça. Un accident peut-être ou alors une infirmité de naissance. Je l'ignore. C'est une bête intelligente, très douce et dotée d'une force peu commune. Elle sent ceux qui l'aiment. Elle sait très bien, par exemple, que tu l'adores.

—Eh bien ! moi, rétorque Milan d'une voix brutale, tout ce que je sens c'est qu'elle pue le chien mouillé.

Mélodie le fixe avec un sourire déconcertant.

—Je ne sais pourquoi tu t'acharnes à te faire détester. Le pire, c'est que tu n'y arrives même pas. Si tu mettais deux fois moins d'énergie à être heureux que tu en mets à être malheureux, peut-être serais-tu deux fois plus de l'un et deux fois moins de l'autre.

—Pourriez-vous reprendre, ma chère, parce que, là, je crois que je n'ai rien pigé à ce que vous venez de dire.

—Je crois, au contraire, que tu as très bien compris ce que j'essaie de t'expliquer. Et si tu n'as pas compris, c'est qu'il n'y a rien à faire avec toi. Dans ce cas, te le répéter ne servira à rien.

Milan a voulu riposter, mais ses paroles se sont figées dans sa gorge quand il a vu apparaître, devant lui, Gustave, seul, sans son horrible chien ni ses deux lieutenants. Il est passé sans s'arrêter. Il a juste jeté un regard meurtrier en direction de Mélodie. Deux de ses doigts dressés comme les pointes d'une fourche s'agitent avec une agilité discrète, pointant d'abord son œil droit, sa carotide ensuite, son cœur enfin.

Quand il se retourne, Mélodie est figée avec, dans le regard, une peur qui s'enfuit aussitôt à tire-d'aile.

— C'est quoi ça ? demande Milan d'une voix inquiète.

— Quoi, quoi ça ?

— Cc qu'il a fait, le Gus, avec ses doigts ?

Mélodie est sortie de son engourdissement. Elle exhibe un immense sourire. Le changement dans son attitude est si soudain, si imprévisible, que Milan a du mal à s'y retrouver. Ils se sont remis en marche. Milan lance deux ou trois regards derrière eux pour s'assurer qu'ils ne sont pas suivis par Gus. Il n'a en tête que ce signe des doigts du taxeur sous le nez de Mélodie. Milan a vu la peur envahir la jeune fille. Il a vu la peur, ça, il en est certain. Mais le Gus est disparu et, maintenant, Mélodie a repris son discours avec sa verve habituelle.

— Ma grand-mère dit que de dormir avec ses vêtements de la journée, c'est traîner ses misères dans les autres mondes.

— Mais de quoi tu parles, merde ?

— Je parle de ma grand-mère.

— Et moi, je te parle de Gus. C'est quoi ces gestes qu'il a faits ?

— Dis-moi, Milan, tu dors souvent avec tes vêtements de la journée ?

— Moi, je me couche tout nu, a répondu Milan avec agressivité.

Mélodie ne semble même pas l'avoir entendu.

— Ma grand-mère prétend que les rêves sont une fenêtre ouverte sur nos autres vies. Elle affirme que nous vivons simultanément vingt et une vies.

— Pourquoi vingt et une ?

— Vingt et un est le résultat de la multiplication des deux nombres les plus sacrés en géomancie : le sept et le trois.

— Pourquoi ne pas les additionner ? C'est plus simple !

— La multiplication, qu'elle m'a expliqué, c'est le calcul des dieux.

— Et la division, le calcul du diable, je suppose ?

— Exactement ! Comment sais-tu ça ?

— Je ne le sais pas, j'improvise. Et si tu veux mon avis, elle est un peu fêlée de la théière, ta grand-mère.

— Je sais ! C'est d'ailleurs pour ça que je l'aime.

Mélodie a éclaté de rire. Milan se surprend à aimer le rire tintinnabulant de Mélodie. Mais il a encore en tête les doigts de Gus qui s'agitent comme les tentacules d'une immense pieuvre.

— C'est quoi, ce qu'il a fait, le Gus, avec ses doigts quand il est passé devant toi ? insiste Milan en dirigeant à nouveau son regard derrière lui. Au cas où...

8

L'incendie

«ELLE NE M'A PAS RÉPONDU» s'est souvent répété Milan, nu comme un ver au milieu de ses couvertures, ce soir-là.

Non, vraiment, non ! Les doigts de Gus, ce n'était pas du sirop de noisettes. J'ai vu la peur, chez Gus d'abord, chez Mélodie ensuite. Je suis certain que Gus a signifié quelque chose de très précis en agitant ses doigts comme ça. Quelque chose. J'en suis certain. Alors pourquoi la peur dans ses yeux ? Si c'est lui qui menace, pourquoi avoir peur ?

La peur inspire la peur.

Il jette un regard vers la fenêtre de sa chambre. Il s'est mis à tomber des flocons de neige gros comme des balles de canons anti-aériens.

Des balles qu'on tire. Des balles qui montent au ciel dans la nuit de Beyrouth. Les nouvelles de Radio-Canada. Des enfants morts. La peur. Des maisons abîmées comme des navires éventrés par des monstres.

Je suis ici. Eux, là-bas. Ici, c'est de la neige qui tombe. On sourit de la voir tomber. La neige qui tombe au lieu de monter au ciel comme les balles des fusils fait sourire les enfants. Elle fait penser à Noël. Elle dit : « Par ici, les cadeaux ! » Voilà ce que disent les balles de neige.

Milan devra bien s'y mettre s'il veut que sa bombe explose au milieu des festivités de Noël.

Cette fête ne représente qu'un immense magasin avec plein de jouets qui ne servent à rien. Noël, c'est un piège à cons.

Oui ! Il devra s'y mettre s'il veut qu'elle explose, sa grand-mère.

Il a mal dormi. Il a mal dormi parce que la peur qu'il a vue dans les yeux de Mélodie le poursuit et lui fait peur aussi. La négresse, la sorcière. Mélodie. Elle s'appelle Mélodie. Caresse. Mélodie Caresse. Elle est belle. Il s'est réveillé en sueur. Le corps humide. En transe. La grippe. Pas de fièvre. Une grippe sans fièvre, on appelle ça un cauchemar.

La neige a coloré de blanc tout le paysage. La cour arrière est recouverte de ce crémage blanc au travers duquel percent les plates-bandes terreuses et dénudées.

Milan ouvre son ordinateur, se dirige vers son fichier de noms qu'il consulte machinalement. Il s'arrête sur celui de la directrice de sa nouvelle école.

Il appuie sur la touche *effacement*. Le nom disparaît. Milan comble le vide en remontant d'un interligne le reste du texte de la page, appuie sur le x à droite de la bande d'icônes, enregistre le tout quand la machine lui demande s'il désire conserver les modifications, puis il se lance dans la recherche du site Internet où il espère retrouver la recette menant à la confection de la bombe artisanale qui servira à égayer son prochain Noël.

Il ne se rappelle pas où il a dégoté l'engin la dernière fois. Il a l'esprit en accordéon. C'est en vain qu'il fréquente les sites de chimie appliquée et le répertoire des farces et attrapes pour délinquants non repentants qu'il a l'habitude d'explorer. Peut-être le site a-t-il été supprimé du répertoire ou placé ailleurs. Mais où ?

Milan lance un regard distrait vers l'horloge placée sur le mur au-dessus de sa bibliothèque. Elle marque vingt-trois heures trente-deux.

Impossible ! Mon Dieu ! Douze heures qu'il pioche en vain sur son clavier. La journée y a passé et il ne s'en est même pas rendu compte. Il a mal au dos. Il a faim. Les yeux rouges. Les doigts engourdis.

Il se lève et se dirige vers la fenêtre de sa chambre. Il voit une lueur rougeâtre illuminer le ciel au-dessus de la ligne de la haute clôture de cèdres qui ceinture le fond du jardin. Juste à ce moment, des bruits de sirènes lui parviennent depuis le Grand Boulevard.

Au début, c'est un simple réflexe de curiosité qui lui fait enfiler sa culotte tout de travers, sa chemise, son gros lainage, son manteau, sa tuque et ses bottines doublées. La perspective d'égayer son samedi soir avec un incendie dans le quartier le rend fébrile. Il prendra des photos, question de les ajouter à son journal des horreurs.

Milan s'assure que les piles de son appareil sont en bon état et il s'élance par la porte arrière afin de rejoindre le Grand Boulevard.

Une odeur de fumée et de bois carbonisé s'est répandue jusque dans le jardin de la grande maison. Le rougeoiement du ciel a pris une intensité inquiétante. On voit s'élever des langues de fumerolles au-dessus des toits. L'incendie n'est pas loin. À deux ou trois blocs vers l'ouest. Au milieu de pareilles flammes, il y aura certainement des morts, ne peut s'empêcher d'espérer Milan en serrant son appareil photo dans ses mains.

C'est l'arrivée de la chienne devant les portes grillagées de la clôture de pierres qui fait apparaître les premiers doutes dans l'esprit de Milan. Quand il la voit, il interrompt sa course. Son regard passe de la bête au ciel rouge. Au regard dévasté que le chien pose sur lui, Milan comprend. Il emprunte la direction que lui indique la bête qui s'est mise à courir devant lui.

Quelques minutes plus tard, il est installé, avec quelques centaines d'autres badauds

devant un vaste brasier que les pompiers com-
battent avec l'énergie du désespoir, cherchant
plus à réduire le risque d'une expansion de
l'incendie aux bâtiments voisins qu'à sauver
ce qui brûle déjà. Il est évident qu'il n'y a plus
rien à faire pour sauver la carcasse à moitié calcinée de la maison en flammes.

Il y a des camions de pompiers partout,
l'eau gicle de dizaines de boyaux, des cris jaillissent de tous les coins, des ordres d'aller par
là, de faire ceci, de faire cela.

Milan est paralysé. La chienne noire couchée à ses pieds ne bouge pas. Le garçon
regarde s'écrouler de grands pans de murs en
feu sans tout à fait se rendre compte de ce qui
se passe autour de lui. C'est seulement quand
il entend le cri terrifiant qui vient de déchirer
l'air chaud de cette nuit glaciale, qu'il prend
soudainement conscience de la portée du drame
affreux qui se déroule sous ses yeux : là, à vingt
mètres devant lui, retenue par deux hommes
et consolée par une femme loqueteuse, Mélodie
se débat comme une tigresse en hurlant devant
les portes d'une ambulance qui démarre.

9

Monstre ou pas monstre, telle est la question !

ONJOUR ! C'EST VOTRE AUTEUR PRÉFÉRÉ — QUI VOUS PARLE.

Dans la vraie vie, la mienne, nous sommes le 6 juillet. Dans le roman, le 7 décembre. Dans ma vie à moi, il fait une chaleur cuisante, un soleil resplendissant. Je suis en vacances. Je me désaltère d'un jus de fruits sur glace. J'écris. Tac, tac, tac, tac, tac, sur le clavier noir anthracite de mon ordinateur portable.

Dans le roman, c'est une journée à ne pas mettre un chien dehors. Une tempête de neige comme on n'en a pas vu depuis des siècles. Quatre-vingts centimètres de neige poudreuse balayée par des vents de cent cinquante kilomètres heure.

Oh ! Et puis, non ! Ça ne fait pas réaliste. Avec les changements climatiques que nous connaissons, finis les grosses tempêtes, les bancs de neige de trois mètres et le froid hivernal début décembre. Personne n'y croirait. Quoique…!

Bon ! Alors, n'insistons pas. Biffons tout ça. //////////////////////////////////// ////////////////////.

Voilà ! Encore ici ! /////////////////// /////////////////////////// Puis là ! ////////////// Parfait ! Et reprenons.

Donc, il fait un ou deux degrés celcius à l'ombre. Le ciel est bas, gris, terne ; le temps est humide et il pleut depuis cinq jours sans arrêt.

Et moi, j'écris, inconscient de mon bonheur… Tac, tac, tac, tac, tactactac, tactac, bzzzzzzz ! Alinéa ! Voilà ! Un point. Erreur. J'efface. On reprend. Une majuuuuuscuuuuule. Là ! Na !

%*&?$%! *! Merde ! Cette saloperie de machine ne fonctionne plus. Le fil ? Non ! Les piles ! Un court-jus ! Merde ! Merde ! Merde ! Et je n'ai pas pris la précaution de sauvegarder mes dernières pages ! Deux heures de travail fichu ! On ne devrait écrire qu'au crayon de plomb sur du papier recyclé. Ces machins d'ordinateurs de mes fesses vous coûtent une fortune et ça ne fonctionne jamais quand vous en avez besoin. Bon ! Du calme ! Examinons le malade !

Tiens ! Qu'est-ce que c'est que ce carré blanc, là, dans le coin inférieur gauche de mon écran ? On dirait... Mais oui ! On dirait un petit drapeau blanc ! Quelqu'un veut parlementer ? Ou alors c'est la machine qui rend l'âme dans une décevante reddition ? Quelqu'un a-t-il déjà vu un ordinateur abdiquer en agitant un mouchoir blanc ? Ce serait le comble de l'incongruité !

C'est à ce moment précis qu'une voix toute croquignolette s'est fait entendre. Et j'ai tout de suite compris que les emm… les problèmes allaient poindre pas très loin derrière le mot « Bonjour ! ».

« *Bonjour !* » qu'il m'a dit. Bonjour, comme ça, de sa voix flûtée que je connais si bien. Cette petite voix grignoteuse comme un ver à chou qui ne vous laisse rien sur le dos une fois qu'elle est passée. Mais moi, je suis un auteur de romans, moi ; je fabrique des histoires, moi, je les invente, je les crée. Alors, question finauderie, on repassera. Aussi, mine de rien, parce qu'il fait chaud, parce qu'il fait beau, parce que j'ai à peine entamé mon verre de jus de fruits fraîchement pressés et que, moi, je ne le suis pas, pressé, je l'ai laissé parler. Erreur fatale !

Milan m'a raconté tout ce qui s'est passé, comme si je l'ignorais ! Eh bien ! Croyez-le si vous le voulez ou ne le croyez pas, toujours est-il qu'il y a plein de détails que j'ignorais. Hé oui ! J'avais perdu de vue, est-ce Dieu possible, le fil de l'histoire que j'étais en train d'écrire. Alors à qui se fier, je vous le demande, si on ne peut même plus accorder de crédit à ce que raconte un auteur en train d'écrire une histoire dont il a « gendarmé » les faits dans les oubliettes de sa propre inconscience ? Je vous prends à témoin. Écoutez ! Non, lisez plutôt, car les pages qui suivent sont muettes afin qu'elles ne tombent pas entre les oreilles d'un sourd.

—Donc, il y a eu l'incendie, m'a balancé Milan d'un seul souffle. La maison détruite au complet. Même pas un mur, une fenêtre, une porte, une poignée de porte, un crochet de cadre, un clou…

—Bon ! Pas besoin d'énumérer tout le contenu. J'ai pigé. Continue !

—Et là, il est passé devant moi. Je l'ai très bien reconnu…

—Qui ça ?

—Ben, Gus ! Le gars ! Le noir avec son chien… Ben là, il n'avait pas son chien.

—Son chien ? Quel chien ?

—Ben, le chien avec la muselière. Brutus ! Celui que Caresse a mis en pièces… Dites donc, l'auteur ! Vous vous moquez de moi ou quoi ? Ça fait trois fois que je vous raconte.

—Trois fois en effet. Et comme je ne suis pas sourd et que c'est moi qui ai écrit ce chapitre, et tous les autres jusqu'ici, figure-toi que je suis au courant. Alors, mon cher Milan, si tu pouvais dégager de l'écran que je puisse continuer, je t'en serais fort reconnaissant.

—Peux pas !

—Comment, peux pas ? Ben si, tu peux. Et tu vas m'obéir ! Et plus vite que ça. Pas que ça à faire, nom de nom de…

— C'est que je ne vous ai pas raconté le plus important !

— Milan, tu dégages !

— C'est parce que j'ai couru. Et quand je cours, je sue, et quand je sue, je pue. M'excuse !

— Mais de quoi tu parles, bougre d'âne ?

— Ben, vous avez dit que je dégageais une drôle d'odeur, non ?

— Ce n'est pas ce que j'entendais par « *tu dégages* ».

— Ah ! Alors, tant mieux ! C'est que je ne voulais pas vous manquer de resp... Bon... Je continue...

Vous savez, chers amis, il y a de ces jours promis à la plus grande douceur, des jours parfaits, des jours où tout est en place pour que le bonheur cogne à votre porte et vous demande d'entrer avec une toute petite voix délicieuse ; des jours bénis comme il y en a peu et dont il faut prendre un soin jaloux. Eh bien ! mes chers petits amis, ces jours-là, même si le bonheur vous suppliait d'entrer, même s'il se présentait à vous déguisé en gros lot de 1 million de dollars, ne lui ouvrez pas. Car, derrière chacun de ces perfides moments de bonheur, apparemment parfaits, se cache un Milan prêt à vous le mettre en miettes, votre bonheur, en trois coups de cuiller à pot.

— Dites ! Vous m'écoutez ou quoi ? Alors, je suis...

Et il a continué, comme ça, pendant des heures et des heures, à m'emm… à me carboniser les oreilles avec ses jérémiades d'enfant-roi, de monstre, de héros malgré lui d'une histoire qui n'en finit plus de commencer à finir. Et ce qu'il me raconte, je n'en ai rien à cirer. En vérité, je m'en balance comme de ma dernière… Excusez-moi un instant !

— Qu'est-ce que tu viens de dire ?

— Que son père arrive la semaine prochaine ?

— Non, avant !

— Que sa grand-mère…

— Non, petit amphibien décérébré ! Avant !

— Que je veux devenir un héros ?

Il l'a dit. Il l'a redit !

— *Il n'en est pas question ! Monstre tu es, monstre tu restes !*

— Mais vous avez écouté ce que je viens de vous raconter ?

— Rien, j'ai dit. Il n'est pas question que je te transforme en mignon petit héros en plein milieu du récit, alors que depuis le début tu t'échines à foutre la m…, le bordel à chaque occasion qui se présente. Et puis quoi encore ? Des collants, une cape, un masque, des pouvoirs magiques ? Tu me prends pour qui ?

— Mais si on ne fait rien, Mélodie va disparaître. Et on sera bien avancé ! Qu'est-ce qui va arriver à notre belle aventure si Mélodie retourne en Haïti ?

—Qu'est-ce que tu racontes ? Il n'est pas question que Mélodie retourne en Haïti !

—Je vois que vous n'avez rien écouté de ce que vous avez écrit ! Ce matin, à l'école, le pupitre de Mélodie était vide : rien dessus, rien dedans, et personne derrière. Notre professeur, la monstrueuse madame Jacques, ce laideron à moustache, nous a appris que Mélodie ne reviendrait plus à l'école. Dix minutes plus tard, la directrice nous a raconté que la mère de Mélodie et son frère Dieudonné étaient à l'hôpital pour plusieurs mois afin de soigner de graves brûlures, que la grand-mère n'était pas en mesure de prendre soin de sa petite-fille et que son père rentrait d'Haïti de toute urgence pour la ramener avec lui.

—Ce que tu racontes est tout à fait impossible ! Je le saurais, tout de même ; je suis l'auteur après tout. Il ne peut quand même pas se produire de tels évènements sans que je le sache.

—Eh ben ! J'ai l'impression que vous avez perdu de grands bouts de votre histoire.

—C'est ridicule ! Et puis, si c'est le cas, on attendra qu'elle revienne et on continuera l'histoire en temps et lieu.

—Elle ne reviendra jamais d'Haïti !

—Qu'en sais-tu ?

—C'est elle qui me l'a dit. Si jamais elle devait aller vivre en Haïti, elle aimerait mieux mourir. Et puis, elle n'acceptera jamais d'être séparée de sa mère, de son frère et de sa grand-mère.

—En parlant de grand-mère, tu n'en as pas une à éparpiller ? Une bombe à préparer pour Noël…

—Ma grand-mère, tout le monde s'en fout. Personne ne la connaît. Elle n'est même pas encore apparue dans le roman. Vous n'avez qu'à la balancer à un de vos collègues écrivain qui a besoin d'une grand-mère dans son histoire et c'est tout. Moi, je veux sauver Mélodie !

—Il n'en est pas question ! Depuis quand les monstres deviennent-ils des héros ? Depuis plus de quatre-vingt-dix pages, tu fous la pagaille dans toutes tes relations, avec chacun des personnages de cette histoire, et je n'ai pas du tout l'intention que ça change.

—Vous ne pouvez pas me priver de mon droit à la rédemption. Tout le monde a droit à une seconde chance.

—Oui ? Eh bien ! Trouve-toi un autre auteur pour te la fournir, cette deuxième chance. « Rédemptionne-toi » tant que tu voudras, mais fais-le en dehors des pages de mon roman.

—Très bien ! Alors, dans ce cas, je ne bouge plus. Votre histoire, vous pouvez vous la mettre où je pense !

—Ah vraiment ! C'est très malin, pareille grossièreté ! Et devant tous nos petits amis qui nous écoutent.

—Ils ne nous écoutent pas. Ils nous lisent. Et pour ce qu'ils ont à lire, ils feraient mieux d'aller dormir !

—Bon ! Maintenant, Milan, tu déguerpis de mon écran avec ton ridicule drapeau blanc et tu me laisses travailler.

Il ne bouge pas. Il s'est répandu comme un rond de beurre dans le coin gauche de mon écran d'ordinateur, s'est enroulé dans sa guenille blanche qui lui tient lieu de drapeau de parlementaire et il boude.

—Holà, le monstre ! *J'ai dit : tu disparais ! Disparais ! Disparais !*

Il s'est bouché les oreilles et il chantonne. Il chantonne. Le monstre chantonne pendant que sur mon écran tout est figé, gelé, bloqué, cadenassé. Mais où suis-je allé pêcher un monstre pareil ?

Tac, tac, tactactactac, tac, tac ! Non ! Ce n'est pas le bruit de mon clavier. C'est celui de mes doigts qui pianotent d'impatience sur ma table de travail. Rien à faire ! Il ne partira jamais ! Et dire qu'il fait si beau, si chaud…

—Bon ! D'accord ! *D'accord !*

Milan s'est retiré les doigts des oreilles.

— Très bien ! Explique-moi. Tu dois bien avoir une petite idée derrière la tête.

— Oui, bien sûr ! Mais pas devant eux. Un peu de discrétion.

— Qui ça, eux ?

— Ben les lecteurs ! Ils ont payé assez cher ce roman à la con pour qu'ils n'apprennent pas tout au milieu de l'histoire. Un peu de suspense.

— Oui, bon ! Alors, les petits amis…

— Vraiment !

— Quoi ? Qu'est-ce qu'il y a ? Qu'est-ce que j'ai dit ?

— Mon Dieu ! Vous appelez encore vos lecteurs « *mes petits amis* » !

— Et alors !

— Alors ? Vous retardez, mon vieux ! Il y a des lustres et des mèches qu'un auteur n'appelle plus ses lecteurs « *mes petits amis* ». « *Alors mes petits amis, on a fait son petit pipi dans le tit pot pour son ami Pierrot ?* » Quelle misère !

— Je ne vois pas où est le mal.

— C'est de la condescendance ! Primo, ce ne sont pas vos amis ; deuzio, ils ne sont pas si petits que ça, puisqu'ils ont mon âge.

— Je dis quoi alors ?

— Chers lecteurs ! Vous dites chers lecteurs. C'est ce qu'ils sont, après tout.

— Bon ! Finissons-en ! Alors, chers lecteurs, veuillez, s'il vous plaît, détourner les yeux un fugitif instant et vous boucher les oreilles le temps que Méli-Milan me fasse part de ses supputations. Merci !

Et là, pendant près d'une heure, la bouche en flûte enfoncée dans le cornet de mon oreille, Milan m'a déblablatéré tout ce qu'il avait en tête pour sortir la belle Mélodie des griffes d'un sort diabolique et pour soumettre l'horrible Gus Malefesse aux affres d'une terrible vengeance.

À la fin, l'oreille tirebouchonnée par la douleur d'une trop longue écoute, je me redresse, l'air de rien, l'allure ronchonneuse. Je dois vous avouer que je suis tombé sous le charme du plan diabolique que vient de me soumettre notre ami Milan. Mais je ne vais quand même pas lui faciliter les choses en lui exprimant tout de go ma satisfaction. Vaut mieux jouer de prudence. D'autant qu'il y a des bouts qui dépassent dans son affaire.

—Oui ! Ce n'est pas mal ! Mais rien ne nous garantit que ça va fonctionner. Et puis, c'est un peu excessif. Tout de même… Oui là, quand même, un peu. Je dois avouer que je suis dubitatif face à tout ça.

Voilà, je crois lui avoir cloué le bec pour un moment avec le mot dubitatif. Parfois ça vaut le coup d'avoir lu le dictionnaire de part en part. Les mots sont une arme terrible quand on y pense. Bon, et maintenant, allons-y. Prenons à

notre crédit le génie de cette idée. Nous la trans-
formerons au besoin.

— Bien sûr, nous sommes d'accord : si je fais
de toi un héros, tu t'engages de ton côté à disparaître de mon écran, tu n'interviens plus dans
le récit, je reprends le contrôle de tout ce qui va
suivre et c'est moi qui écris. Moi, et seulement
moi. Plus un mot de ta part, plus de sautes d'humeur, d'abus de langage, de mauvaise volonté.

— Je veux bien. Mais je gagne quoi, moi,
dans tout ça ? Je deviens un héros…?

— Tout à fait !

— Je sauve Mélodie ?

— Parfaitement.

— Alors, ça me va !

— Attention ! Je me garde les détails. Et
puis c'est moi qui décide comment tout ça se
termine. On est bien d'accord ?

Hésitation de la part de Milan, le monstre.
Grand sourire. Poufff ! Il est disparu de mon
écran. Je reprends le récit.

10

Tomber amoureux,
ça fait toujours mal

MILAN N'A PAS FERMÉ L'ŒIL DE LA NUIT. Tout ce dont il a été témoin le poursuit jusqu'à l'aube : les cris de Mélodie, le rougeoiement des flammes, les sirènes, mais surtout le visage de Gus. Milan n'a pu identifier ce qui l'horrifiait dans le visage de ce monstre au moment où il est passé devant lui. Maintenant il sait ; c'est son sourire, ce sourire carnassier qu'il exhibait. Comme une hyène devant sa proie, heureux qu'il était, le Gus, satisfait de ce qu'il voyait.

La journée du dimanche se passe dans les plus contradictoires émotions. S'étant levé dès potron-minet, Milan s'est joint à ses parents qui cernent de leur pitoyable présence la table bien mise de la salle à manger. Il est à peine huit heures. Ils dégustent pâtés, fromages fins et croissants avec le café le plus capiteux en échangeant des propos navrants sur tout et rien.

— Ainsi que vous le dîtes hier soir, mari très cher, chez nos amis Argentcomptant, il se fignole un hiver risqué.

—Hé oui ! Marjorie, chère épouse. Temps chaud, pluie et vent, m'a-t-on appris au bureau entre les signatures de deux fabuleux contrats avec la Chine. Pas ou très peu de neige. Bientôt, j'en ai peur, nous perdrons tout alibi pour nous extraire de nos hivers afin d'aller les passer sous les tropiques… Ha ! Ha ! Ha ! Mais je badine, bien sûr, amie très chère. Vous prendrez bien de ce pâté de sanglier. Je ne refuserais pas, en retour, un peu de ce reblochon.

—Quel humour vous avez, époux très épousé. Voici le fromage. Pendant quelques secondes, j'ai cru… Hum ! quelle délectable odeur que celle de ce pâté ! Où le prîtes-vous, ami cher ?

—*À la Faisanderie dorée*, sur la rue de la Montagne, amie très épousée.

—Saluâtes-vous la dame du comptoir ? Elle est si charmante sous son galurin de pâtissière.

—Comme il se doit, bien sûr. Pour la peine, elle me consentit une ristourne !

—La brave femme ! Ainsi que je vous le disais plus tôt, vous avez un sens de l'humour à se tordre, Horace, mon mari. J'ai cru un instant que vous m'annonciez le renoncement à notre voyage à Bora Bora !

—Que nenni ! Marjorie, épouse si bien épousée. Va toujours pour Bora Bora. Tout en nous méfiant du béribéri, bien sûr ! Ha ! Ha !

Ha ! Je ruisselle d'humour ! Béribéri, Bora Bora !

— Ha ! Ha ! Cessez de m'éblouir pareillement. De rire ainsi, au petit-déj', est une gymnastique faciale contre-indiquée par mon esthéticienne. Oh ! Mais que vois-je, seyant à ma droite dans un silence taciturne ? Notre fils Milan ! Que faites-vous si tôt levé, fils très cher ? Il n'est pas encore onze heures ? Et vous nous affichez une de ces tronches ! C'est d'un déprimant tout à fait inapproprié ! Et quelle est cette odeur qui imprègne vos vêtements ? C'est répugnant ! On dirait que vous passâtes la nuit dans un de ces bouges infects et surenfumés. Vous auriez trois ans de plus, je m'inquiéterais.

— Mal dormi, gémit le garçon en avalant nonchalamment une gorgée de jus d'orange. Pas très faim non plus.

— Il faut manger un peu, mon garçon, intervient son père d'un ton inquiet. Il n'est pas question que vous nous fassiez une nouvelle crise de délire ou je ne sais quoi d'autre, avant notre départ pour Bora Bora. Votre mère ne s'en remettrait pas. L'an dernier, c'étaient des bleus partout que vous vous infligeâtes à grands coups de marteau pour nous faire manquer notre départ pour Honolulu.

— Ça ne vous a jamais empêchés de partir.

— Peut-être. Mais il me fallut plusieurs heures pour me remettre de cette visite à l'hôpital. Ce ne fut qu'au service du dîner servi à bord que je pus enfin me croire en vacances. Que de temps perdu ! C'était choquant et si vulgaire ! Je vous assure, fils chéri, parfois votre humour fait des taches.

Pour toute réponse, Milan lâche un rot sonore qui se répercute derrière lui, sur les murs lambrissés du salon. Il se demande pourquoi il n'a pas encore trouvé moyen de les détester, ces deux-là. Des êtres si étranges, si loin de lui, si différents des autres parents.

Ils sont extraits d'un moule bizarre dont Dieu s'est ensuite débarrassé, sans doute pour ne pas répéter deux fois la même erreur. Erreur peut-être ! Mais le fait qu'ils soient différents de tous les parents qu'il connaît leur confère, justement, ce soupçon d'âme que n'ont pas les autres. Sans doute qu'il n'en sait rien.

Ce matin, Milan a beaucoup de mal à lire en son cœur. Des sentiments bizarres s'agitent en lui et il ne parvient pas à bien les identifier. Jusque-là, de toute sa vie, du moins des parties dont il a mémoire, il n'a connu que la colère. Il a écoulé les heures de son existence à mépriser les autres et lui-même et à s'inventer des idées de vengeance. Tout allait chez lui comme si sa vie avait été faite de longs cordons de rage qu'il attachait bout à bout pour mesurer la profondeur de sa solitude.

Mais ce matin, ce n'est plus ça. Finies la liste de noms, la hargne inutile, la bombe de Noël pour la grand-mère. Finis les désirs de vengeance, les jérémiades perpétuelles. Il a grandi, croit-il. Son corps semble soudainement trop petit pour contenir tout ce qu'il voudrait y mettre d'émotions, de sentiments, de chair et de muscles aussi. Lui qui n'a jamais voulu vieillir, voilà qu'il souhaiterait avoir vingt ans d'un seul coup. Et l'appétit qui lui manque, lui qui mange toujours plus qu'il ne peut avaler, le sommeil qui ne vient plus, ces peurs qui le troublent plus que de raison. Il est triste, lui qui n'a jamais été conscient de l'être ni pour rien ni pour personne. C'est simple, Milan ne se reconnaît plus.

Même la présence de la chienne Caresse à ses côtés ne parvient pas à l'extraire de son étrange engourdissement. D'ailleurs la bête ne semble guère en meilleur état que son nouveau maître.

Elle l'a suivi le soir de l'incendie sans qu'il ne l'y invite. Milan l'a conduite dans sa chambre sans qu'elle ne résiste. Elle y a passé sa première nuit dans un coin, le museau caché dans ses pattes, le regard aussi lugubre que la lune poudreuse de décembre. Milan l'a retrouvée dans la même position le lendemain matin. Elle a refusé toute nourriture et n'a, en aucun moment, demandé la porte, elle qui pourtant est habituée à vivre librement dans les rues du quartier Saint-Christophe.

Autre fait inhabituel ce dimanche-là, sa mère est venue le voir dans sa chambre, ce qu'elle n'a pas fait depuis des années, inquiète de le voir aussi sage par un si beau dimanche après-midi. Inquiète ! Sa mère est inquiète ! Inquiète pour son fils, elle qui ne l'a jamais été de sa vie ou du moins qui ne l'a jamais manifesté avec autant d'évidence. Elle a même vu la chienne couchée dans le coin de la chambre et elle n'a rien dit.

Son père s'est amené à son tour dix minutes plus tard en invitant son fils à se joindre à eux pour une partie de bridge. Bien sûr, Milan a refusé. Il déteste le bridge. Mais l'invitation de son père l'a pris au dépourvu, tout comme le fait qu'il se soit assis sur son lit et qu'il ait posé sa longue main sur son épaule. Cela non plus n'est pas habituel de la part de cet homme. Milan s'étonne de trouver apaisant et doux cet élan de tendresse inattendu.

Quand son père voudra se retirer, c'est Milan qui le retiendra.

— Papa ! s'entend-il prononcer.

Papa ! C'est bien la première fois qu'il appelle cet homme, papa.

— Comment on fait pour savoir si on est amoureux ?

L'homme ne s'attendait pas à une pareille question de la part d'un fils qui n'a jamais osé partager avec lui la moindre intimité. Combien de fois, quand Milan était encore un tout jeune enfant, n'a-t-il pas cherché à s'introduire dans ses jeux, à l'interroger sur ses rêves, sans que le garçon n'y donne suite. Et voilà qu'aujourd'hui ce fils absent le prend au dépourvu avec cette question intime, profonde et grave. Car qu'y a-t-il de plus important dans ce monde que l'amour ?

— Comment on fait, papa ? insiste Milan.

— Je ne sais pas. J'imagine qu'on a peur. Oui, c'est ça, au début, quand on est amoureux pour la première fois, on a peur.

— Et les autres fois, on n'a plus peur ?

— Les autres fois, balbutie son père, les autres fois, c'est pire encore !

— Peur comme quand on a peur de recevoir des coups ou comme quand on a peur qu'on nous ridiculise ?

— Pas tout à fait. C'est une peur plus intense, plus profonde. Une peur où se mêlent la joie, l'espoir, le désir. Une grande peur pleine de bonheur. La peur de perdre tout ça ! La peur de n'être pas à la hauteur, d'être ridiculisé par la personne qu'on aime, qu'elle nous repousse, qu'elle nous ignore.

— Je comprends. Oui ! Je comprends. Et toi, papa, tu l'aimes maman ?

—Oui !

—Et tu as encore peur ?

—Oui, Milan ! Oui, mon garçon. Tous les jours. Comme j'ai peur de te perdre, toi, tous les jours aussi.

—Mais je suis là.

—Je sais. Et moi aussi je suis là, même si ça ne paraît pas toujours… Mais, même si tu es là, et même si je suis là aussi, j'ai quand même peur de te perdre. Et de la même manière, mais pour d'autres raisons, j'ai peur de perdre ta mère ; qu'elle parte, qu'elle me quitte, que vous ne soyez plus là un jour, ni l'un ni l'autre. Quand on aime quelqu'un, on a toujours peur que cette personne disparaisse de sa vie, qu'il ne reste d'elle que le souvenir de sa présence.

Milan met le reste de son après-midi à penser à ce que son père lui a dit. Cet homme, qu'il connaît si peu et si mal, l'aime. Et il aime sa femme ; il aime sa mère. Sa mère ! Cette ombre parmi les ombres que Milan a peine à reconnaître chaque fois qu'elle rentre à la maison, son père l'aime au-delà de tout. Et Milan ne met pas longtemps à se persuader que sa mère doit sans doute aimer son père de la même étrange manière.

Il ne peut douter un seul instant des propos de son père. Milan a la certitude que cet homme lui a dit la vérité. Alors l'amour, c'est ça ! Ce ne peut être que ça : la peur de perdre l'être aimé malgré toute la confiance que l'on éprouve à l'égard de l'autre, à l'égard de la vie, à l'égard de soi. Milan en est persuadé, aimer quelqu'un c'est ça, aussi fort que ça, aussi simple que ça. Il en est d'autant plus persuadé que c'est précisément ce qu'il ressent pour Mélodie. Il a peur que Mélodie parte pour Haïti, qu'elle le quitte à tout jamais.

Il va rejoindre Caresse qui sommeille dans son coin. Il lui parle à l'oreille. Dix minutes plus tard, les deux amis sortent de la maison et se rendent sur les lieux de l'incendie.

11

Coup de théâtre !

IL FLOTTE DANS L'AIR UNE ODEUR ÂCRE de bois carbonisé et humide. Une dizaine de curieux sont venus se recueillir sur les lieux du drame. Des Noirs essentiellement, des hommes qui évaluent à l'œil les dégâts et devisent sur l'origine du sinistre.

— Un court-circuit dans le système électrique, déclare un premier. Ça ne peut être qu'un court-circuit. Ces vieilles maisons-là ne sont pas très bien entretenues.

— Ça me surprendrait, opine un deuxième, ça appartenait au père Gladu, cet immeuble-là. Il a fait remplacer tout le système électrique l'année dernière. Le père Gladu, il s'occupe bien de ses immeubles. Il n'est pas comme les autres.

— Ils sont tous pareils, si tu veux mon avis, rétorque le premier. Le père Gladu, comme les autres ! Mais c'est vrai qu'il a fait changer l'électricité et les planchers aussi. Mais que de la camelote ! Je le sais, c'est moi qui ai refait les planchers.

Milan ne s'est pas attardé à tous ces bavardages. Il contourne la maison par la ruelle. Derrière, une partie de l'intérieur des chambres est visible en raison d'une large brèche dans le mur à moitié éventré. C'est ici que l'incendie semble avoir fait le plus de dégâts. Les noirceurs naissantes jettent de grandes ombres sur les restes du mobilier calciné. Les pompiers ont barricadé les entrées les plus béantes, laissant çà et là assez d'espace pour que le regard puisse contempler à son aise les reliefs du grand banquet que s'est offert le diable dans la maison de la famille Jardinlieu.

Milan a esquissé un geste pour pénétrer à l'intérieur. Un coup de sifflet strident retentit. Un policier s'avance vers lui d'un pas agressif.

— Tu dégages d'ici, petit ! Ces rubans ne sont pas là pour faire joli. Les chapardeurs de ton genre, dont le seul plaisir est de vandaliser les lieux des incendies me donnent la nausée. Tu circules, vite fait.

Milan n'a pas demandé son reste. Il s'est aussitôt remis en marche en tirant Caresse par la laisse.

— Viens, ma belle ! Viens ! Ne restons pas ici.

Le soir, Milan a soupé avec ses parents. L'atmosphère est détendue, presque sereine.

Ses parents ont abandonné leurs airs de faux aristocrates et ont parlé presque normalement, échappant tout de même, çà et là, des « *ami, très chère* » ou «*épouse, très épousée*», expressions dont ils semblent avoir du mal à se défaire malgré toute leur bonne volonté.

Quand Glutamine, la gouvernante, s'est présentée au moment du dessert pour prendre livraison des travaux scolaires de Milan, celui-ci a refusé, disant qu'il ferait désormais lui-même ses devoirs.

Le lendemain, il a pris le chemin de l'école. Il a fait un crochet par la maison incendiée de Mélodie. Rien ! Personne ! Ah oui ! Là, dans un coin, le flic de la veille. Rien d'autre. Milan espérait y trouver… peut-être… C'était bête, il le sait. Mais, une fraction de seconde, il avait espéré que Mélodie…

Il est arrivé à l'école dix minutes avant la cloche. Il a trouvé étrange que tout soit si calme, presque paisible. Il n'y a pas l'excitation habituelle des lundis matins. La cloche a sonné. L'entrée s'est faite dans un calme insolite. Pas un cri, pas un mot. Même Gros Nigaud a eu la délicatesse de ne pas se manifester.

Dans la classe, les élèves se sont assis. Madame Gertrude est immobile, calme, les mains jointes sur son pupitre encombré de cahiers et de feuilles éparses, le regard figé sur les fenêtres du fond de la classe. Une fleur traîne sur le pupitre de Mélodie. Personne ne sait qui l'a mise là. Ce n'est pas madame Jacques. Elle n'est pas de celles qui placent une fleur sur le pupitre d'un élève absent. La fleur, c'est Milan. Mais, il ne le dira à personne. Et comme personne ne le sait, personne ne le saura jamais.

Un moment, la femme a bougé. Les élèves ont sorti leur cahier. Elle leur a dit d'arrêter, qu'il n'y aurait pas de dictée ce matin. Elle leur a demandé de l'écouter. Qu'il s'était produit un terrible incident, un incendie d'origine inconnue qui prive l'école de la présence de deux de ses élèves. De Mélodie et de son frère, Dieudonné.

Que la mère, Mathilda Jardinlieu, est à l'hôpital, gravement blessée, mais hors de danger. Dieudonné est brûlé sur la moitié du corps, pauvre garçon.

—J'espère qu'il ne souffre pas trop, Madame ?

—Non ! Ils ont des médicaments pour calmer la douleur. Oui ! Très longue sans doute ! Des brûlures au troisième degré exigent de longs mois pour cicatriser. Marie-Fleur Jardinlieu, la grand-mère, est sortie indemne de la maison en flammes. De même, Dieu merci ! que notre Mélodie.

—Non ! Elle ne reviendra pas à l'école. Les deux jeunes ont été pris en charge par un oncle.

Celui-ci a communiqué avec le père de Mélodie qui travaille en Haïti comme intervenant humanitaire avec ses fils aînés, Mathurin et Conseil-de-Dieu. Le père est attendu à Montréal ces jours-ci. Il ramènera Mélodie vivre avec lui en Haïti. La grand-mère se dit, à juste titre, incapable de s'occuper à la fois de Mélodie, de sa fille et de son petit-fils hospitalisés pour de longs mois de convalescence, du moins dans le cas de Dieudonné, comme je vous l'ai déjà dit.

— C'est triste pour Mélodie, j'en conviens, Fulgence, mais c'est la meilleure solution pour l'instant. Quoi faire, Yérika ? Prier, ma chouette, prier… Oui, c'est une excellente idée, la carte, Octave. Je suis certaine que Mélodie appréciera votre geste… À l'hôpital Maisonneuve-Rosemont. Mais, pour l'instant, les visites sont interdites… Non, Victor, on ne sait pas. La police fait enquête. C'est un incendie suspect. C'est dans tous les journaux. Je ne peux rien vous dire de plus.

Milan regarde son professeur, madame Jacques. Pourquoi elle a ce sourire derrière son chagrin ?

Leurs regards se sont croisés une fraction de seconde. Milan l'a vu. Il l'a vu au creux des yeux de la femme, dans les cernes qu'elle a autour des yeux comme si elle avait passé les deux dernières nuits à ne pas dormir. Il l'a vu dans ce battement de paupières lourd : le sourire du diable.

On entend un bruit de chaise qu'on déplace. Milan est debout. Ses mains tremblent. Il fixe droit devant lui, ou son professeur, ou le mur, ou nulle part.

— Moi, je sais qui a causé l'incendie.

À ces mots, tous les regards se tournent vers lui. Milan ressent une étrange douleur du côté droit de son cou, juste sous la carotide, là où il perçoit les battements de son cœur quand il veut les compter après un effort. Il se gratte. Apparaît alors une petite rougeur qu'il continue de gratter avec frénésie. Plus il gratte et plus une douleur épouvantable lui traverse la gorge comme si on y enfonçait une lame de feu.

Il a à peine la force de croiser à nouveau le regard de dame Jacques. Un regard noir, cruel, terrifiant. Milan étouffe. Les mots qu'il s'apprêtait à formuler se coagulent dans sa gorge. Un bruit terrifiant emplit alors la classe. La fenêtre, à la droite de Milan, vient de voler en éclats.

Milan voit son corps vibrer comme si une main géante le secouait en tous sens. Il se sent soulevé de terre. L'immense bête qui vient d'entrer dans la classe par la fenêtre l'enveloppe de ténèbres et l'emporte sur son dos dans un crachotement de flammes vers un lieu et un temps qui échappent à Milan. Le monde, son monde, disparaît et la nuit s'installe pour longtemps.

❦

Quand Milan émerge de ce cauchemar, il n'est plus le même garçon. Sa peau laiteuse et piquée de milliers de taches de rousseur a fait place à une autre, brun cuivré. Ses yeux verts sont maintenant presque noirs, et ses cheveux tantôt roux sont noirs aussi et toujours bouclés.

Il ne reconnaît pas l'endroit où il se trouve. Il lui faut quelques minutes pour reprendre conscience et reconnaître comme sien ce monde, un monde qui n'a plus rien à voir avec le précédent. L'ombre qui le couvrait tantôt s'est dissipée.

Milan marche sur un chemin de terre qui traverse une vallée émaillée de coquelicots et d'herbes foisonnantes. À ses côtés, Caresse trottine en traînant sa patte blessée. Il fait une chaleur cuisante et le soleil darde des rayons de plomb sur un ciel blanc et lumineux.

Sur l'horizon se découpent les premières maisons de la Cité que le garçon habite avec ses parents. Il n'entend pas le bruit des chevaux qui viennent derrière lui et ce n'est qu'à la dernière seconde qu'il plonge vers le fossé pour éviter d'être piétiné.

111

—Fais place, sale chien d'Infidèle, lui a hurlé un soldat en agitant une longue cravache de cuir. Place au Conseil d'État mandé au palais par le roi de Jardinlieu !

Sous son heaume, Milan a reconnu le lieutenant de la garde du connétable du royaume, le comte Gustave. L'étrange équipage dépasse Milan sans se préoccuper davantage de ce qui lui arrive. Se redressant avec colère, le garçon se remet en route en rétablissant sur son dos l'équilibre du gros sac de pommes qu'il est allé cueillir au milieu du verger communal à une demi-lieue de sa demeure.

Deuxième partie

Ailleurs et Issy

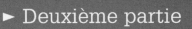

12

L'étang de la rivière
aux mirages

Toc ! Toc ! Toc ! Pourrais-je avoir un en-
tretien avec l'auteur, si ce n'est pas trop
demander ?

— Plaît-il ?

— J'aimerais vous provoquer en duel ! Bien
sûr, je me réserve le choix des armes. Je choi-
sis le lance-flammes et je vous laisse une lime
à ongles. Je crois que ça se fait, ça, les duels, à
l'époque où vous m'avez précipité, espèce de
corrupteur de conscience !

— Mais… Mais… Si ce n'est pas mon bien-
aimé personnage principal qui me fait le bonjour ! Quel plaisir, cher ami ! Alors, comment
va madame votre mère ?

— Elle est en train de coudre votre linceul,
traître !

— Elle s'est mise à l'aiguille ? Comme c'est
charmant. Que puis-je faire pour vous être
agréable, mon jeune ami ?

— Vous attacher un gros élastique autour
des chevilles, et vous lâcher sous la travée la

plus élevée du pont Jacques-Cartier et vous regarder rebondir contre le pavé du dessous jusqu'à ce que votre boîte crânienne fasse des feux d'artifice. Qu'en dites-vous ?

—Que vous avez des idées caustiques, mon ami ! Mais détendez-vous, mon garçon ! Souriez ! Dansez ! Riez !

—Je rirai, je chanterai et je danserai sur votre tombe le jour de votre enterrement.

—Ah ! Mon ami ! Mais friserait-on la grosse déprime ?

—C'est quoi, toute cette merde ? Où m'avez-vous transporté ? On s'était entendus pour que je devienne un héros, pas un cueilleur de pommes ! Ni pour que vous m'entraîniez dans un autre monde !

—Primo, mon jeune et impétueux ami, vous êtes un héros. Deuzio, si nous voilà en ce monde et à cette époque et sous cette défroque arabisante, c'est que ce temps et ce lieu se prêtent tout particulièrement bien aux héros sans peur et sans reproche dans votre genre.

—Ce n'est pas du tout ce dont nous avions convenu.

—Ah, mais pardon ! J'ai fait exactement ce que vous vouliez.

—Je n'ai jamais demandé ça !

—Je vous signale, mon petit, que c'est vous qui avez réclamé de devenir un héros. Moi, je vous aimais bien en monstre.

—Mais, moi, j'avais mon idée. Une idée, plus que brillante, pour venir en aide à Mélodie. Vous avez tout bousillé !

—Holà, mon ami ! Nous nous étions mis d'accord sur le fait que je me réservais la suite des événements. Rappelez-vous ! Et vous avez juré de ne plus intervenir.

—Mais il n'a jamais été question…

—Bon, en voilà assez ! Clic ! On ferme ! Siiiiiiiiiiiileeeeeeeeence ! Ha ! Mais ! On n'est plus chez soi, ici ! Où en étais-je ? Ah oui ! L'an 1183, en Europe, Moyen Âge. Allons-y !

Donc, Milan habite une magnifique maison de pierres avec colombages et il mène une existence confortable auprès de ses parents, au milieu d'un quartier bourgeois qui s'accroche aux terrasses qui ceinturent la forteresse royale d'un pays si mésestimé par la mémoire des hommes que l'histoire n'en a gardé nul souvenir. Il s'agit du pays d'Ailleurs et la cité s'appelle : La Cité.

Cette ville, autrefois riante et joyeuse, ploie désormais sous le joug d'une grande tristesse depuis que le roi a sombré dans la mélancolie et le chagrin à la suite de la mort prématurée de sa douce reine Catherine.

À peine remis de ce veuvage cruel, il est rattrapé par le malheur d'une seconde disparition, celle de sa fille unique, la princesse Mélodie. Pas morte, celle-là, non ! Enlevée !

Les recherches pour la retrouver n'ont donné aucun résultat. Depuis, les fêtes ont été interdites. Les mariages se font muettement, les naissances sont soulignées sans faste. Noël, Pâques, la Trinité et l'Assomption n'ont pas eu d'échos. Les gens vont, d'un jour à l'autre, la mine basse en espérant des temps meilleurs.

Le soir, on raconte que les seuls bruits qui s'entendent dans la Cité sont les sanglots du roi qui, assis à sa fenêtre, soupire après les étoiles. On le dit à moitié fou. Il aurait entendu dernièrement sous sa fenêtre des bruits de clochettes. Vous imaginez ! Entendre des bruits de clochettes en pleine nuit ! C'est à vous faire passer pour un fou.

C'est du moins la rumeur qui a circulé au marché des bêtes et à celui des primeurs qui se tiennent chaque semaine au jour prescrit par le décret royal, soit les mercredis pour l'un et les samedis pour l'autre. À chacun, il est autorisé aussi d'y vendre lait, œufs, pain, vin et fromages.

C'est là que le père de Milan, le brave Horace Brière de Montigny, comptable de son état, tient séance à celui des animaux. Quant à la douce

Marjorie – étrange nom pour une Maure[1]. C'est qu'il ne s'agit pas de son vrai prénom. Elle s'appelait Yérika en une autre vie. Elle en a changé au moment de sa conversion à la religion de son époux, juste avant son mariage – c'est à celui du samedi qu'elle se rend, accompagnée de Glutamine, servante de la famille Brière de Montigny, pour y vendre la ration de pommes du verger communal dont elle a la garde et le profit.

Milan les accompagne quand il y a des œufs à vendre, des escargots ou des grenouilles. Grenouilles qu'il va pêcher à l'hameçon dans l'étang aux Mirages que personne ne fréquente parce qu'on le dit hanté par des démons et des âmes errantes. Milan n'en a jamais vu, mais il sait qu'ils sont là, ces démons et ces âmes, qu'ils le guettent. Mais il s'en fout. Milan ne veut que les grenouilles qu'il attrape, à la bonne saison, par dizaines.

C'est à l'endroit le plus envahi par les joncs et les quenouilles, lieu rêvé pour y cueillir les grenouilles les plus dodues, que Milan les a un jour entendues murmurer, ces âmes errantes, dans le vent qui jouait dans les herbes hautes et les terres boueuses. Elles se racontaient à voix basse l'enlèvement mystérieux de la prin-

---

1. Maure : nom donné, au Moyen Âge, aux personnes d'origine arabe.

cesse Mélodie. Sur le coup, Milan n'y avait prêté aucune attention. Mais les grenouilles se faisant rares, il avait eu le loisir d'enregistrer l'essentiel de leur conversation.

— Si le roi savait ! disait une voix bourrue. Il nourrit en son sein une vipère qui lui empoisonne l'esprit.

— Le comte Gustave ! crachote une deuxième voix. Il a l'âme aussi noire que la couleur de son blason.

— Il maintient la princesse prisonnière au fond de la forêt des Inconstances, lance une autre, là où nulle âme humaine n'a jamais mis les pieds.

— Et pour cause, intervient la première voix qui s'est enroulée aux branches du grand orme. Cette forêt, outre qu'elle soit inaccessible, est protégée par les Macoutes, ces bêtes méprisantes qui crachent leur venin plus loin que leurs hurlements. Ce sont des êtres misérables, mi-hommes mi-démons, que seuls parvenaient à contenir les flammes des dragons noirs.

— Mais depuis la disparition des dragons, précise une cinquième voix traînante et râleuse, l'audace des Macoutes dépasse tout entendement.

— Aussi, gémit le premier, qu'elle fut bête l'idée des hommes de l'ancienne époque d'anéantir leurs plus proches alliés !

— Ils ignoraient qu'ils fussent leurs protecteurs. L'eussent-ils su qu'ils n'auraient peut-être pas agi de la sorte.

— Les hommes, de toutes les bêtes de ce monde, sont les plus bêtes.

— Ils les ont exterminés en une nuit. Les rouges, les noirs, les blancs, tous y ont passé.

— Il en resterait deux, si j'en crois la rumeur : un noir et un blanc. L'un aurait échappé au carnage en prenant les apparences d'une bête solitaire dont on ignore la race. On raconte encore que, la nuit, il reprendrait sa forme originale et chercherait, sans l'avoir encore trouvé, l'endroit exact où la princesse serait détenue.

— Mais y parviendrait-il qu'il ne pourrait la sauver par ses seules ressources, reprit la première âme en secouant le haut d'une quenouille qui échappa ainsi ses premières soies brunes. Les dragons ne peuvent intervenir dans les affaires des Hommes. Seule une âme pure, un héros sans peur et sans reproche pourra la délivrer. Cela est écrit au vieux grimoire de la *Tour de Cristal*.

— Une telle âme existe-t-elle encore dans le monde des Hommes ? couinèrent en chœur les voix conjuguées de trois âmes errantes, la bouche pleine de poudre de fleurs de trèfle qu'elles venaient de bâfrer. Nous en doutons fort.

Là-dessus, le vent s'étant levé entraînait avec lui les voix mystérieuses. Milan ne les avait jamais ouïes d'aussi nette façon. Il en avait gardé un souvenir prégnant, presque douloureux. Il ne cessait de se répéter depuis ce jour les paroles des trois âmes gloutonnes : « Une telle âme existe-t-elle dans le monde des Hommes ? Nous en doutons ! »

L'éventualité que la princesse soit à jamais disparue l'horrifiait. Et il y avait une raison fort simple qui expliquait son tourment. Milan ne l'aurait avoué à quiconque tellement son secret était grotesque, incongru, malséant : il aimait la princesse. Un seul regard posé sur elle, un jour qu'elle était passée devant lui au marché, avait suffi pour que l'amour s'installe en son cœur bouillonnant. Cela s'était produit quelques semaines avant sa disparition.

Il avait alors onze ans. Bien que d'un âge encore tendre, il ne s'était jamais départi de cet emportement du cœur. Bien au contraire, son amour n'avait fait que grandir dans le silence et le renoncement. Il s'était affirmé davantage encore le jour où il avait ouï les âmes errantes près de l'étang aux Mirages.

Comment approcher le roi pour lui révéler son terrible secret ? Ses origines sociales et la couleur de sa peau le lui interdisaient même si son père était citoyen de vieille souche et comptable patenté et réputé. Et puis comment affronter le comte Gustave, homme puissant, bénéficiant de l'attention du roi et d'une armée prête à le défendre ? Personne ne le prendrait au sérieux surtout s'il disait détenir ses informations d'une discussion qu'il aurait surprise entre les âmes errantes de l'étang aux Mirages. Déjà fils d'une dame mauresque à la réputation douteuse, il était susceptible d'être considéré comme un sorcier ou un démon, et de risquer d'être brûlé sur la Grand-Place de la Cité.

Aujourd'hui, c'est samedi, jour de marché des primeurs. Il n'y a ni œufs, ni escargots, ni grenouilles à vendre. Il n'est pas pressé de rejoindre la Cité avec son sac de pommes à l'épaule. Alors, Milan baguenaude sans but précis dans les ruelles entortillées des premières bourgades. Au tournant de l'une d'elles, il entend un branle-bas où s'entremêlent des voix querelleuses. Des dames se crêpent le chignon pour une question d'herbes médicinales et de remboursement qu'on refuse. L'une de montrer le poing, l'autre, son derrière.

—J'estaille vendusse à toé, la vieillardine, les herbages au prix qui ça valasse, bramait une voix rugueuse et forte que Milan, dans un sourire amusé, reconnut aussitôt. Si toé, t'esta pas à même de la garder dans la bonne températura, esta pas ma responsabilare. Buon jour, la vieillardine[1] !

Milan voit une souillonne saisir son bâton et se remettre en chemin après avoir salué la compagnie de belle façon en levant ses jupons sur sa culotte de lin, dégageant ainsi son gros derrière d'un geste vulgaire. Son bâton de promenade racle le sol derrière elle en produisant le petit bruit qui accompagne ses déplacements. La femme est passée devant Milan en le gratifiant d'un large sourire.

— Alors, dame Jacquemère ? fait Milan en saluant la guenipe. Les affaires vont bien, à ce que je vois ?

— Par dieusse, oy, mé nouèrillon ! fait la dame, en ricanant. Tant qu'il y aille encor des bels jouvencellots comme toé à erluquer, alors une souillonnasse comme moé esta pas le drette de se plandre[2] !

Cette femme d'allure négligée et souillonne, laide à souhait avec ce nez en prière sur une bouche édentée, est connue dans toute la Cité et même bien au-delà. Haillonneuse et

---

1. — Je t'ai vendu les herbes au prix convenu. Si tu n'es pas capable de les conserver à la bonne température pour qu'elles ne pourrissent pas, ce n'est pas mon problème. Maintenant, salut bien, la vieille !

2. — Par Dieu, oui, mon noiraud ! Tant qu'il y aura des jouvenceaux dans ton genre à reluquer, une souillonne n'aura jamais le droit de se plaindre !

124

sale, elle va en soupirant dans les ruelles de la Cité, parlant toute seule, les bras chargés de bandelettes d'herbes diverses qu'elle cède à vil prix.

On la dit en bien avec le diable, mais elle n'a jamais été surprise en train de commettre un acte de sorcellerie. Et comme elle prie avec assiduité aux enterrements et aux offices dans l'église de Saint-Nicolas, on la laisse se promener. Tous disent ignorer son nom bien qu'il soit de notoriété publique qu'elle s'appelle dame Jacquemère. Mais comme peu de gens ne lui parlent, ni ne la saluent, ni n'entretiennent commerce avec elle, il est facile de prétendre ignorer son nom. Si bien qu'elle est une ombre anonyme dans la presse qui encombre les ruelles et la Grand-Place de la Cité. Seul Milan s'autorise à la saluer.

Passées les premières lignes d'habitations faites de huttes mal torchées (Milan a tourné à droite et se dirige vers les rues des quartiers délabrés et malodorants de la Basse-Ville), il y a les rues pavées de la Haute-Ville avec ses maisons de pierres, plus cossues et toutes clôturées. C'est le quartier des professions et des bourgeois qui font commerce avec le château et les autres cités du pays. C'est aussi là que se tient le grand marché.

Les activités du marché sont une récréation obligatoire pour qui veut se tenir au fait des dernières nouvelles. Et puis, on s'y fait voir de tous, on y fait toutes sortes de rencontres et on y traite des affaires de toute nature, louches pour la plupart, qu'autrement il serait difficile de circonvenir sous l'officine familiale sans attirer l'attention des milices communales.

La circulation des forbans et des mal fichus de la Cité est interdite dans la Haute-Ville en d'autres temps.

C'est par eux que les nouvelles circulent, que les rumeurs s'alimentent, gonflent ou disparaissent, que les dénouements des combats de telle guerre sont connus, les duperies, rébellions et jacqueries colportées, et les menaces de telle armée révélées avant que l'irrémédiable ne se produise. Or, il n'y a qu'au marché qu'on puisse rencontrer ces gens sans courir à sa perte. Aussi, pour la famille de Brière de Montigny, le marché est-il une activité lucrative et essentielle.

C'est là d'ailleurs que Milan reçut la confirmation des propos entendus un mois plus tôt à la mare des Mirages. Il était installé dans un coin du marché avec d'autres gamins en train de jouer aux osselets alors que Gendron, dit Gros Nigaud, livrait à son père une indiscrétion glanée au burg de Jaspeigne situé aux enlignements de la forêt des Inconstances et gardé jour et nuit par une garnison de gens d'armes au service du comte Gustave.

—Des murmurements s'échappitassent chaque noctance[1] du cœur de cette forêt, avait murmuré sous cape l'énigmatique Gendron, dit Gros Nigaud. De princesse, si vous ouïssez ben ce de quoi je veux disailler, mon bon homme. La princesse Mélodie, ce divin cœur à tous chère et aimante, estaille bel et bien vivante si vous voulez mes avis. Prisonnière des Macoutes de la forêt des Inconstances. Et ces Macoutes sontassent au service d'un prince… D'un homme d'importance par devers notre bon roué de Jardinlieu[2].

—Qui ? avait demandé le père, surpris et prudent face à cette annonce.

—Je l'ignoraille, avait répondu Gros Nigaud avant de se lever. M'est avis, avait-il ajouté en se retournant, y fautaillerait chercher ben du côté du château. Tout près du roué. Allez zouste, je m'en vaille. Riscouille ! Ici ça brûlasse l'écartèlement, le fouettage ou la corde à gros nœud. Allez, diusse, mon père ! Je vous zai rien dictaille de tout ça[3].

---

1. — Des murmures s'échappent chaque nuit…

2. — De princesse, si vous voyez ce que je veux dire ! (…) est bel et bien vivante (...) Et les Macoutes sont (…) d'un homme important dans l'entourage du bon roi de Jardinlieu.

3. — Je l'ignore. (…) À mon avis, il faudrait chercher du côté du château. Tout près du roi ! Allez, salut ! Je m'en vais ! Trop risqué ici ! Ça sent l'écartèlement, le fouet ou la pendaison. Allez ! Adieu, mon père ! Je ne vous ai rien dit de tout ça !

Sans doute, Milan n'aurait-il jamais eu l'audace d'intervenir dans cette affaire si des évènements dramatiques et imprévus ne s'étaient produits à quelque temps de là.

13

Le roi aux mille cloches

LES MOIS QUI SUIVIRENT donnèrent lieu à une étrange cabale contre Jésus Miséricorde de Jardinlieu, ci-devant roi de la noble et belle Cité, capitale du pays d'Ailleurs.

Elle précéda l'arrivée des grands savants du Conseil d'État prétendument mandés par le roi. Elle se profila dans le peuple comme une rumeur insidieuse et persistante selon laquelle les facultés du roi allaient diminuant. La rumeur enfla tant et si bien que, lorsque le roi, après une de ses fameuses nuits de veille à regarder les astres de la nuit, affirma avoir entendu des voix lui parvenir au travers les sons conjugués de milliers de cloches, la cour décréta qu'il était temps de mettre un terme aux inconstances royales.

Bientôt, un sobriquet voltigea dans toute la Cité, comme une disgrâce, allant de chaumière en maison bourgeoise, de huttes innombrables jusqu'aux coins les plus reculés du pays : le « *Roi aux Mille Cloches* ». La rumeur fit d'autant mieux le tour du pays que la population commençait à se fatiguer des errances de son roi et de la vie austère que cela leur imposait. Elle brûlait de vivre à nouveau sous l'égide d'une cour frivole et joyeuse et de jouir des fêtes, des rires et du chant des années perdues.

Un esprit perfide laissa même entendre que l'instabilité du roi était en partie responsable de la disparition de sa fille, la douce et belle princesse Mélodie. Que le roi se souciait autant de retrouver sa fille qu'il se souciait du bonheur de son peuple.

Milan ne croyait pas un mot de tous ces mensonges. Il savait son roi bon et généreux à l'égard de son peuple. Il se souvenait, contrairement à ses concitoyens, que celui-ci avait tout fait pour retrouver sa fille. Qu'il avait lui-même battu tout le pays à la tête de ses troupes, pendant des mois, sans jamais se fatiguer. Et que c'est sous le conseil du comte Gustave qu'il avait renoncé à s'aventurer dans la sombre forêt des Inconstances pour y mener un combat contre les féroces Macoutes.

Depuis, il vivait reclus dans son château. Ce fut sous les ordres du comte Gustave, et non sous ceux du roi, que les fêtes et les banquets furent interdits, et qu'on décréta un couvre-feu dès huit heures du soir, toute sortie et tout bruit étant proscrits sous peine de fortes amendes et même d'emprisonnement.

Dès lors que le bruit avait été chassé de la ville, il était loisible à tout paysan de passage, manant, commerçant, bourgeois ou seigneur, d'entendre les gémissements du roi. Loisible aussi aux habitants, dans le secret de leur demeure fermée aux menaces extérieures, de geindre contre leur propre malheur, de reprocher à leur souverain la responsabilité de leur triste état, et d'espérer l'arrivée d'un changement qui les libérerait de leur situation d'asservissement.

Si bien que, depuis quelques semaines, on ne se gênait plus, au marché, dans les tavernes et dans tous les tripots du royaume pour évoquer la souhaitable abdication d'un roi qui, de toute façon, ne gouvernait plus.

L'arrivée au château des grands savants du royaume n'augurait donc rien de bon. Et le fait qu'ils fussent escortés par les mousquetaires du comte et non par ceux du roi inspirait à Milan les pires craintes.

Elles se matérialisèrent le lendemain matin par l'envolée des cloches dans toute la Cité, invitant la population à se rassembler sur la Grande-Place pour entendre le héraut du palais livrer un message de première importance.

En moins de dix minutes, la Grand-Place fut prise d'assaut par une populace aussi muette qu'inquiète. Les trompettes annoncèrent l'arrivée du messager qui s'installa avec ostentation sur l'estrade levée en toute hâte.

« Oyez, gentils hommes ! Oyez, gentes dames ! Et tous les autres membres de cette assemblée, oyez ! Vont suivre deux décrets émis par son éminence, le très respectable Conseil d'État (roulement de tambour). Les grands savants et médecins de l'empire, sous mandement ministériel, ont procédé à l'examen de l'esprit et du corps de notre bien-aimé roi Jésus Miséricorde de Jardinlieu afin de connaître l'origine des voix et autres sons de cloches que ledit roi dit avoir entendus. N'ayant eux-mêmes ouï aucun de ces sons et ne pouvant prêter nature normale à ces soi-disant voix, ils décrètent du haut de leur auguste compétence que le roi souffre de sous-entendement et de noirceur des humeurs qui le rendent inapte à la gouvernance du royaume (roulement de tambour). »

La nouvelle se propagea comme une traînée de poudre depuis le devant de la foule rassemblée jusqu'aux dernières lignes d'où s'extirpèrent quelques jeunesses pressées de rapporter la nouvelle dans les rues avoisinantes et jusque très loin au-delà des hameaux.

Les tambours se turent. Le héraut entreprit aussitôt de livrer le second décret d'une voix puissante.

— « Oyez, gentils hommes ! Gentes dames et tous les autres membres de cette assemblée, oyez ce qui suit ! Le roi ne laissant nulle descendance, il a été convenu par le Conseil d'État, avec l'accord de la Salle des Sages et en concordance avec l'avis du grand Chambellan, de confier le sceptre et la couronne du royaume au seigneur comte Gustave, ci-devant, et dès lors Roi du pays d'Ailleurs, de ses provinces, duchés et seigneuries. La population du royaume est conviée, toutes affaires cessantes, à souligner le couronnement du roi Gustave Premier, en cette cité, dans une vingtaine de jours d'ici en festoyant joyeusement et bruyamment. Quant au roi de Jardinlieu, le ci-nommé roi abdicataire, il a été pris à son avantage et dans celui du peuple de l'éloigner séance tenante des affaires du royaume et de le consigner à maison close et bien gardée aux confins du royaume. L'exil du seigneur roi déchu se fera en un lieu tenu secret pour sa sécurité et celle de tout le pays en conformité avec l'opinion de notre bien-aimé roi Gustave, préoccupé d'accorder à son prédécesseur tous les bons soins et le calme utiles à son état de santé déclinant. Vive le Roi ! »

Sonnerie de trompettes, roulement de tambour, départ de la Grand-Place du héraut et de sa troupe. Foule en émoi, animée de sentiments partagés à l'idée que le sort de leur roi soit enfin réglé, mais triste aussi qu'un chapitre de son histoire, si bellement commencé, se termine dans un pareil accablement.

Car il faut le dire : le roi Jésus Miséricorde de Jardinlieu n'était pas mésestimé par son peuple, bien au contraire. Il avait été bon avec lui, et juste et généreux à l'égard des miséreux. Mais les dernières années marquées de tant de malheurs semblaient avoir eu raison de lui. La situation ne pouvait perdurer et il était temps qu'elle aboutisse. Mais des questionnements se faisaient entendre çà et là dans la foule quant au choix du nouveau souverain.

Il était de notoriété que le comte Gustave ne faisait pas l'unanimité. Beaucoup lui trouvaient un air arrogant, voire suspicieux, retors osaient dire certains. Et plusieurs n'avaient pas oublié les assertions, bien que démenties, qui avaient circulé concernant son possible rôle dans l'enlèvement de la princesse Mélodie.

Bref, on discutait ferme autour de Milan que la nouvelle de l'exil du roi avait anéanti. Car contrairement à tous les autres, le jeune garçon savait son roi sain de corps et d'esprit. Il en était d'autant plus persuadé que les voix et les cloches que le bon roi de Jardinlieu disait avoir entendues, il y a des jours et des semaines déjà que le jeune Maure les entendait aussi la nuit.

Le regard du garçon fut attiré par un visage connu qui cherchait à se soustraire à la curiosité des gens en se tassant sous les combles d'une loggia. C'était dame Jacquemère qui fixait la fenêtre de la tour du palais. La mégère avait un sourire auquel se mêlait un filet de satisfaction. Quand elle croisa le regard de

Milan, son sourire s'effaça et elle s'éclipsa discrètement de la Grand-Place par une ruelle.

C'est à cet instant que les portes du château
s'ouvrirent dans un bruit de pentures grinçan-
tes et de câbles bandés à l'extrême. Dans un
silence aussi sinistre que ce sinistre matin de
septembre, encadré par vingt-quatre hommes
en armes qui faisaient claquer le manchon de
leur hallebarde sur le sol moussu de la rue du
Palais, un sombre équipage formé d'une charrette déglinguée tirée par deux vieux mulets
estropiés s'avançait dans l'air humide de ce
demi-jour.

Sur la charrette était monté un trône de bois
mal équarri sur lequel était assis, dans une pose
déhanchée, le roi Jardinlieu qu'on menait ainsi
vers son lieu d'exil. La foule se fendit pour laisser passer le cortège. S'échappaient des bruits
tintinnabulants de centaines de clochettes qu'on
avait eu le mauvais goût d'attacher au cou des
pauvres bêtes et aux montants de la charrette.

Quand l'équipage dépassait un groupe de
badauds, s'élevaient alors des murmures suivis de rires et de gloussements impertinents.
Bientôt, toute la Grand-Place fut secouée du
rire d'une populace qui se mit à scander avec
lourdeur et désinvolture le nom désormais
odieux de « *Roi aux mille cloches* ». Ainsi dispa-
raissait un roi autrefois aimé de son peuple et
aujourd'hui raillé par celui-ci.

Le cœur de Milan se tordait dans sa poitrine en entendant le rire grossier de cette foule ingrate et sans mémoire. C'est quand la charrette le dépassa que Milan comprit la raison de l'hilarité populaire. En était responsable cette grande affiche clouée à l'arrière du carrosse royal : *Ici, en grande pompe et sublime tenue, nous quitte le Roi des cloches.*

Milan en eut le cœur brisé. De voir son roi quitter son royaume sous les lazzis d'un peuple hostile lui donna un dernier sursaut de courage. Il se mit à donner du coude, se dégagea de la foule, bouscula la garde qui encadrait le carrosse royal et, en trois enjambées, grimpa sur le marchepied où il embrassa la joue flétrie du roi Jardinlieu.

— Écoutez-moi ! Écoutez-moi ! Le roi n'est pas fou ! Les voix, les cloches, moi aussi je les ai entendues. Et je sais ce qu'elles racontent. Tout ça est une conjuration menée par un traître pour vous faire croire à la folie du roi afin de s'approprier la couronne et le trône ! Écoutez-moi ! Écoutez-moi !

Mais personne ne l'écoutait ! Bien au contraire, on aurait dit que ses vociférations n'avaient fait qu'exciter davantage une populace sourde à toute vérité qui scandait maintenant avec arrogance : « Vive le Roi aux mille cloches ! » Des larmes d'impuissance et de colère coulaient sur les joues enfiévrées de

Milan. Il se tourna vers son roi qui le fixait à présent d'un regard muet mais attendri.

—Majesté ! fit Milan d'une voix ferme, à moi aussi, les voix ont parlé. Je sais qui est derrière tout ça. Je ne sais pas où se trouve la princesse Mélodie, mais je fais serment de la retrouver et de la libérer. Je jure aussi de faire obstacle à l'usurpateur par tous les moyens.

Deux bras le saisirent avec fermeté et l'obligèrent à descendre du chariot qui se remit en route sur la grande rue qui menait à l'extérieur des murailles de la Cité.

—Descends vite, mon fils ! lança son père Horace qui venait d'intervenir avec autorité. Cesse de marteler ces insignifiances ! Veux-tu donc qu'on t'arrache à moi et à ta mère et qu'on te fasse subir le même sort qu'à notre pauvre roi ?

Il y avait dans la voix de son père un tel effroi et, dans le geste, une telle force, que Milan n'eut d'autre choix que d'obtempérer. Une fois descendu du chariot, détachant ses yeux de ceux de son père, Milan les porta vers la fenêtre de la première tour du château où se profilait le visage crispé du comte Gustave. Ce dernier le regardait fixement d'un air mauvais. Et, malgré la distance qui les séparait, notre jeune héros comprit que désormais s'était noué, entre lui et le comte, un combat qu'il n'aurait de cesse de poursuivre.

Il sentit à cet instant une chaleur bienfaisante lui réchauffer les jambes. C'était Caresse, sa vieille chienne, qui était venue se blottir contre lui.

14

La fuite vers
le pays d'Issy

LES SEMAINES PASSÈRENT. On n'entendit plus parler du roi déchu. La bonne humeur semblait de nouveau avoir gagné le pays d'Ailleurs. Bien que la saison d'été fût derrière elles, et qu'elles dussent se préparer au long et capricieux hiver de ces latitudes, les populations manifestaient une joie de vivre qu'elles croyaient à jamais perdue.

Les festivités qui avaient entouré le couronnement de leur nouveau roi s'étaient prolongées pendant tout un mois, enfilant fêtes, tournois, banquets et spectacles auxquels furent conviés les gens de tout le pays, de toutes les classes sociales et de tous les métiers. Depuis longtemps on n'avait vu autant de sourires, ouï autant de rires, admiré autant de beaux jupons et de tables si bien garnies.

À Noël, on avait vu la Grand-Place s'animer de belle façon, se colorer de mille feux, avec, en son centre, un immense arbre de la Nativité orné de mille et une fantaisies, boules, colifichets et guirlandes de toutes les formes et de toutes les couleurs. La garde du roi et le roi lui-même avaient passé la nuit du réveillon à parcourir les rues de la Cité pour distribuer cadeaux et nourriture à une population en liesse, au son des fanfares et des tambours. On avait chanté, dansé, festoyé la nuit durant, et tout le jour et les nuits des trois jours suivants. Ce fut, de mémoire d'homme, la plus belle fête de Noël jamais organisée au pays d'Ailleurs.

C'est ainsi que Milan se demanda s'il ne s'était pas mépris au sujet du nouveau monarque. Il se surprit à rire et à festoyer tel qu'il lui semblait ne l'avoir jamais fait de toute son existence. Bref, lui-même, à l'instar de tout le pays, renouait avec l'espoir d'un temps meilleur pour tous.

La seule chose qui n'avait pas changé dans la vie de Milan, c'était ce rêve étrange qu'il faisait chaque nuit – mais était-ce vraiment un rêve ? – où une ombre noire survolait sa couche, presque immobile, semblant le protéger de tout maléfice et de tout danger. Qu'était cette ombre ? Il n'en savait rien. C'était un nuage. Non ! Plutôt un oiseau noir, immense, aux ailes grandes ouvertes, qui tournait au-dessus de son lit depuis le premier instant de son sommeil jusqu'au moment de son réveil.

Cette année-là, l'hiver passa presque joliment. Bien nourrie, la population s'évita bien des misères et des épidémies, si fréquentes et mortelles en cette saison. C'est ainsi qu'on arriva en pleine forme au temps des semailles, assurés que tout irait pour le mieux dans le meilleur des mondes.

Le réveil fut donc brutal.

***

Les premières ombres apparurent au tournant de l'été suivant quand le roi Gustave décida d'agrandir le domaine royal de manière à englober toutes les forêts limitrophes. Il fit aussitôt placarder un édit s'appropriant ainsi l'exclusivité du droit de chasse et de coupe en ces terres, menaçant de graves sanctions quiconque y serait pris à braconner. En même temps, sans raison ni provocation, il s'appropria les terres appartenant aux Juifs et autres métèques.

De par son union à une Sarrasine, Horace de Brière de Montigny perdit la moitié de ses possessions. La Maure, bien que convertie à la religion des chrétiens, et Milan son fils à demi-mauresque, lui-même baptisé et entretenu dans la foi de l'église du Christ par sa mère, furent tous deux interdits de séjour en les églises par ordre du roi.

La fin d'août vit le doublement de la dîme à percevoir sur les récoltes des censitaires et le relèvement des impôts pour tous les artisans, commerçants et bourgeois. Le roi mit la main sur les terres des récalcitrants et dépouilla de leur titre les chevaliers qui s'opposèrent à ses politiques.

Pour ajouter au désenchantement du peuple, le roi alourdit les marchés d'une taxe exorbitante si bien que le prix des primeurs, des draps, du bois, du blé, du vin et du pain doubla en une seule saison. La grogne gagnant la population, les rassemblements furent bientôt interdits et les fêtes des moissons strictement encadrées par les gendarmes du roi si bien que nul ne s'y présenta.

Faute d'argent, les fêtes de Noël furent inexistantes, et le sapin de la Grand-Place disparut. À nouveau, d'épais nuages s'amoncelaient sur le ciel du pays d'Ailleurs. Et sous le toit des chaumières sans feu, en cet hiver de grand froid de 1184, on se mit à regretter l'exil du bon roi de Jardinlieu et à espérer, dans le secret, son retour.

Le nouveau roi Gustave n'avait donc pas mis longtemps à montrer son véritable visage. Moins d'un an s'était écoulé depuis l'exil du roi Jardinlieu. Personne n'en avait réentendu parler. On murmurait même que son cortège, abandonné par l'escorte de gendarmes au moment où il avait atteint les limites des gorges de la Gueule du Diable, avait été attaqué

par une meute de loups affamés et que ces derniers n'avaient rien laissé du corps mutilé du
roi. D'autres disaient que, pris de désespoir, le
roi s'était lancé du haut de la plus haute paroi,
s'écrasant deux cents mètres plus bas sur la
dentelle acérée du tapis de pierres noires qui
recouvrait le fond de la gorge. Bref, on ignorait tout de son réel destin, et on ne savait ni
s'il était mort ni s'il était encore vivant.

Milan, quant à lui, était persuadé que le roi
était bel et bien en vie. Mais il n'avait aucune
idée de l'endroit où il se trouvait. Il n'avait
aucune nouvelle non plus du lieu où la princesse Mélodie était retenue prisonnière. Il avait
cependant la certitude de plus en plus précise
que celle-ci était en danger. Plus l'opinion de
la population se durcirait contre le roi Gustave,
plus ce dernier serait tenté de se débarrasser
du roi Jardinlieu et de la princesse afin de faire
taire les derniers espoirs du peuple.

Le garçon savait où il pourrait obtenir quelques précisions concernant la famille royale :
dans les terres vaseuses de l'étang aux Mirages,
là où les âmes errantes et les démons tenaient
leur concile. Mais comment s'y rendre ?

Chacun de ses mouvements était surveillé
par les espions du roi. On le suivait partout. Il
savait que le comte Gustave n'attendait qu'une
occasion pour le faire arrêter. Or le comte avait
ouï parler d'informations suspectes que déte-

nait le jeune garçon et du lieu où il les avait glanées. Il fit donc interdire, sous peine de mort, la fréquentation du lieu maudit de l'étang aux Mirages, en fit barricader tous les accès et mit une garnison en surveillance.

Mais le conflit latent entre le roi Gustave et notre jeune héros n'attendait que son heure pour éclater au grand jour. Et ce jour vint en mai de l'année suivante.

La précarité de Milan et celle de toute sa famille devint plus explicite et s'exprima par la visite inopinée des gendarmes à l'étal que sa mère tenait au marché de la Cité tous les samedis. Ceux-ci commencèrent par bousculer la clientèle en se moquant de la piètre qualité des légumes offerts à vil prix, comme ils le prétendaient. Le chef de patrouille, un gaillard mal embouché qui sentait le mauvais vin et le gras de viande, s'approcha de dame Marjorie et, lui retirant son bonnet, la fixa d'un regard porcin.

— Alors, Sarrasine, négresse, saleté d'Infidèle, c'est donc toi qui empoisonnes notre bon peuple avec cette collection de légumes avariés ? Tu ferais mieux de rester chez toi et de prendre un meilleur soin de l'élevage de ta progéniture. Le roi n'aime pas le regard de ton fils ni son naturel arrogant ni ses provocations. N'oublie pas que les Maures sont seulement tolérés en notre Cité. Il ne faudrait pas croire que l'élégance de tes épousailles avec un chrétien t'épargnerait le bûcher si tant est que nous soyons plus ou moins convaincus de ton inconvenance. Dis à ton fils que nous ne tolérerons de lui nulle provocation.

— Vous vous trompez de cible, fit dame Marjorie. Mon fils Milan est un bon fils, baptisé et bon chrétien. Il travaille fort et bien, et il n'a jamais provoqué personne ni fait montre d'arrogance à l'égard de quiconque.

— Oserais-tu prétendre, négresse, que ton roi est un menteur ? Je te conseille d'avertir ton avorton de fils dont l'âme doit être aussi noire que sa peau que nous le tenons à l'œil et qu'à la moindre frasque de sa part, il vous en coûtera cher à ton époux, à toi et à lui-même.

Et pour bien marquer qu'il ne plaisantait pas, l'homme accompagna ses paroles d'un geste non équivoque où, d'une main feignant de tenir une corde au-dessus de sa tête, il inclina celle-ci en tirant la langue.

— Je crois que tu me comprends, Sarrasine !

Se tournant vers les badauds qui s'étaient rassemblés autour de l'échoppe, il lança d'une voix rude :

— On circule, bande de vermines ! Y'a rien à voir ici. Puis montrant un doigt menaçant vers la femme, il ajouta : Et toi, je te conseille de rentrer chez toi sans faire de scandale.

C'est au moment où il allait porter la main sur elle qu'une poigne puissante envoya le chef de patrouille bouler dans un tas de paniers de tomates trop mûres. L'homme voulut se relever, mais il glissa sur le tapis de pulpe cramoisie qui se répandait sur le sol en une longue flaque de boue mousseuse.

Ce n'était pas un homme à la charpente carrée, ni même un damoiseau aux muscles développés, ni géant, ni truand qui avait osé ce geste d'éclat, mais un jeune garçon à peine adolescent. C'était Milan, rouge de rage, qui soufflait comme un jeune buffle enragé, un bâton de quatre coudées en travers de ses mains, arme qu'il maniait avec une dextérité étonnante.

Quand les trois gendarmes qui accompagnaient leur chef voulurent le faire prisonnier, c'est à grands coups de sa herse de bois dur qu'il les culbuta l'un après l'autre en grognant et en se ruant sur eux comme un diable tombé dans l'eau bénite. Sa charge fut si brutale qu'il mit les trois hommes en fuite sans qu'ils demandent leur reste. Quand Milan, courroucé, s'avança à nouveau vers l'officier des gardes qui pataugeait dans la mare de tomates, prêt à le bastonner jusqu'à ce que mort s'ensuive, sa mère s'interposa et l'empêcha de commettre l'irréparable.

— Non, mon fils ! Ce rustre ne vaut pas qu'on répande son sang !

Milan eut toutes les peines à retenir son geste. Le regard qu'il posait sur l'homme brûlait d'une telle rage que tout son visage en était déformé.

— Ne t'avise jamais plus, héraut d'un roi usurpateur, de toucher ne serait-ce que du regard à cette femme ou à toute autre ! Et que plus jamais tes lèvres ne prononcent devant moi le mot « négresse » sinon ce n'est pas la poigne d'une mère, seraient-elles cent à vouloir me retenir, qui pourrait m'empêcher de t'arracher les yeux pour les donner aux porcs. Et dis à ton maître que puisqu'il me veut, il m'aura.

Sur ces paroles, Milan lança son bâton qui atteignit l'officier à la mâchoire. L'homme hurla de douleur et s'effondra de nouveau dans la mare de tomates en goûtant le sang de ses lèvres qui coulait dans sa bouche. Il se releva péniblement et quitta le marché de la Grand-Place sous les rires de la foule. C'est à pied qu'il gagna le château où il fit le récit de sa disgrâce auprès de son maître.

Ulcéré, le roi Gustave laissa sa colère s'exprimer avec une violence extrême. On entendit ses hurlements jusqu'aux confins du royaume. Dès la nuit suivante, ses troupes frappèrent avec la rapidité de l'éclair.

Ils se présentèrent à la grande maison de pierres qui faisait angle avec la rue menant au prieuré de la cure de l'évêché du pays d'Ailleurs. Là, ils défoncèrent portes et fenêtres, jetèrent pêle-mêle tout ce qui leur tomba sous la main, enjambèrent l'escalier menant aux chambres et, là, procédèrent à l'arrestation de... de personne.

Dans la grande maison, il n'y avait plus âme qui vive. Horace, Marjorie et Milan avaient fui quelques heures plus tôt emportant bêtes et cassettes d'argent, quelques vêtements et les livres des comptes du sieur Horace qui ne comptait pas tout perdre dans l'aventure.

Ils gagnèrent par des voies détournées la frontière du pays voisin et s'y installèrent à l'abri de la vindicte royale, chez le frère du sieur Horace, Michelin de la Hotte, connétable de la cité de Larre, ci-devant capitale du pays d'Issy.

Le lendemain, au-dessus de la Cité du pays d'Ailleurs, un long panache de fumée montait dans le ciel assombri. Le roi avait ordonné qu'on mît le feu à tout le quartier où résidaient les gents juive et métèque. Et, sur la Grand-Place, se balançait, à la herse de l'hôtel de ville, le corps de l'officier responsable de l'humiliation subie par le roi Gustave de si claire façon.

15

Le Trou de Fayence

BIEN QU'À L'ABRI DES FOUDRES ROYALES, Milan n'en était pas moins taciturne. La nuit, l'image de la princesse Mélodie ruinait ses rêves et, le jour, elle ne quittait plus ses pensées.

Il avait ajouté un an à son âge. Avec ses quinze ans, son corps s'était transformé, ses muscles avaient pris un certain volume, ses épaules avaient mis de la carrure à sa silhouette. Mais il ignorait toujours comment et par quelles armes il allait pouvoir s'opposer à l'intrigant comte Gustave.

Le hasard, si tant est que la vie puisse être gouvernée par le hasard, allait bientôt venir à son secours.

Milan se promenait ce jour-là du côté du Trou de Fayence où séjournent des eaux chaudes entourées d'une végétation touffue, à une lieue de la cité de Lure. Il avait l'habitude de s'y rendre pour refaire la paix en lui, trouver un peu de calme et quelques grenouilles à rapporter à sa famille pour le repas du soir. Tout en marchant, il crut reconnaître des voix familières discutant d'un sujet qui ne lui était pas inconnu.

—Celui qui devaille venastir, tardaille à le faire[1], se languissait une voix bourrue que Milan reconnut aussitôt. C'était celle d'une des âmes errantes qu'il avait ouïe quelque temps auparavant à l'étang aux Mirages. Sans doute avaient-elles dû s'exiler elles aussi pour échapper à quelque danger.

—Et pourtant, continua sa voisine, s'il savait combien le temps presse, peut-être agirait-il avec plus de promptitude.

—Peut-être astil peur d'agirtouille[2]? reprit la première voix.

—Ce serait là une preuve de sagesse, rétorqua une voix aigrelette. La peur est mère de prudence. Et la prudence sera de mise dans cette longue et hasardeuse quête.

—Ou peut-être n'a-t-il plus la tête à tout ça, opina une quatrième voix. Il a eu sa part de malheurs à gérer. Et en un aussi bas âge, ce n'est pas une affaire facile.

—Bas âge ! claironna la voix bourrue. Ça esta une drôlante excusaille. Moi, à deux anzes de moins que son âge, j'esta déjà marinouiller à ma belle[3].

Milan s'approcha. Pour la première fois de

1. — Celui qui devait venir tarde à le faire.
2. — Peut-être a-t-il peur d'agir ?
3. — Une belle excuse ! Moi, à son âge, j'étais déjà marié !

sa vie, il pouvait admirer à son aise ces êtres minuscules et habituellement invisibles aux humains. Il fut étonné par le nombre de ces créatures qui encombraient les alentours du lac. Elles semblaient habiter chaque anfractuosité du sol et chaque brin d'herbe. Pour une seule voix qu'il entendait, Milan fut surpris de constater qu'elles étaient des milliers à parler à l'unisson.

— De qui vous entretenez-vous ? s'enquit notre jeune héros auprès de l'étrange société.

— Tu le sausailles aussi biensque nous ! répondirent rudement des milliers de voix d'un seul élan[1].

— Non ! feignit Milan.

— Œillez-moé ça ! firent les mille voix. Voilà qu'il mimaille l'ignorancement, à cette heure ! Et vous voulaillez me faire craire que c'esta à lui qu'il fautaille se fier ? Bêtise ! Ce jeunillon n'a pas plusque de cœur que de cervelle. Il n'esta bon qu'à semailler les désastres derrière lui et à prendre ses jambilles à son cou pour évitasser de réparailler les dégâts. Nous perédonnons notre tenses, je vous dis[2].

---

1. — Tu le sais aussi bien que nous !
2. — Regardez-moi ça ! Il fait semblant d'ignorer de quoi on parle ! Et vous voulez me faire croire qu'il faut se fier à lui ! Bêtise ! Ce jeunot n'a pas plus de cervelle que de cœur. Il n'est bon qu'à semer les désastres derrière lui et à décamper pour s'éviter la tâche de réparer le dégât ! Nous perdons notre temps avec lui, que je vous dis.

— Mais enfin, hurla Milan, de qui parlez-vous ? Est-ce de moi ?

— Maintenouille, de toi ! Tantôste de la pauvrasse princesse Mélodie dont le sort semblaille bien peu te prenailler la gernigouenne[1].

— C'est moi que vous traitez de sans cœur et de sans cervelle ?

Des milliers de petits diablotins malicieux firent alors mouvement en chœur, s'agitant dans l'air tiède pour former un visage terrifiant de bonhomme colérique à la chevelure hirsute.

— Et de lâchouille et de pleutre istouille ! confirmèrent les voix[2].

— Et vous, créatures sans utilité, que faites-vous tant qu'il vous soit permis de juger ainsi les autres ? Vous ne faites que cancaner comme des oies et mémérer comme de vieilles femmes aigries. Si vous savez où se trouve le roi Jardinlieu, et si vous connaissez l'endroit où on retient la princesse Mélodie, que n'allez-vous les délivrer vous-mêmes au lieu de vous en remettre à moi ? Au nombre que je vois ici à jaspiner sans cesse, la chose serait bien aisée.

À nouveau, il y eut un mouvement parmi les milliers d'elfes, lutins, fées et autres diablotins.

---

1. — Maintenant de toi. Tantôt de la pauvre princesse Mélodie dont le sort ne semble guère te préoccuper !
2. — De lâche et de pleutre encore !

Les milliers et milliers de créatures prirent leur envol, se tassant ici, s'estompant ailleurs. De cette agitation émergea le visage de la princesse Mélodie. Il flottait là, au-dessus des eaux chaudes, sa chevelure ondulant dans la brise légère.

— Mon ami, ne prends pas ombrage et ne tire aucune conclusion hâtive des paroles blessantes de certains des habitants du Trou de Fayence. Certains de mes amis font preuve parfois d'un peu trop de hâte, mais jamais de méchanceté. Sache qu'ils ne peuvent venir à mon secours, car un charme puissant les en empêche. Plusieurs milliers d'entre eux ont cherché à affronter la forêt des Inconstances, mais ils y ont laissé leur vie, pour les vivants, ou ont été repoussés vers les limbes, pour ceux d'entre eux qui n'avaient plus de vie à sacrifier. Le souffle fétide de la plus terrible des bêtes, le Dragon Blanc, s'est répandu sur la forêt des Inconstances où je suis retenue contre mon gré. Le comte Gustave y vient chaque nuit, transporté par la bête, pour m'inciter à l'épouser. Il cherche, par cette union, à se garantir la couronne du royaume. Je lui résiste depuis près de quatre longues années. Cependant, j'avoue que les forces m'abandonnent et j'ai peur, si rien ne vient me libérer de ce terrible séjour, de mourir de désespérance et de faiblesse… Je te sais âgé de quatorze ans à peine.

— Quinze, douce princesse ! rectifia Milan avec déférence.

— Je connais ton cœur. Je sais de quelle trempe est fait ton courage. Il dépasse en grandeur celui des meilleurs chevaliers et des hommes au corps bien plus robuste. Tu es mon seul espoir… Par les airs est la seule façon de m'atteindre. Tu as, près de toi, l'ange qui t'y conduira. Adieu !

L'image de la princesse se dissipa dans l'air ambiant et sa voix s'évanouit dans les rayons du soleil qui dardaient puissamment. Milan se retrouva si désemparé, à vrai dire, qu'il se demanda un moment s'il n'avait pas été le jouet de quelque rêve éveillé.

Il était à présent tout fin seul. Toutes les créatures s'étaient évaporées comme les flammèches d'un feu capricieux déjà éteint. Il n'y avait plus que Caresse qui était couchée à ses pieds et n'en bougeait pas comme si rien ne s'était passé. Milan décida de quitter les lieux, plus abasourdi qu'inquiet.

Il arriva à la chaumière de ses parents à la tombée de la nuit. Le repas fut pour le moins frugal, ce soir-là, car Milan, sur qui l'on comptait pour rapporter de son excursion au Trou de Fayence assez de chair pour nourrir trois personnes, n'avait ramené dans sa besace que six maigres grenouilles. Et encore ! L'une d'elles n'avait qu'une patte. Mais Milan n'avait guère d'appétit et il bouda le repas au grand dam de ses parents qui s'inquiétaient de le voir retourner à ses mélancoliques rêveries.

Cette nuit-là, bien que n'ayant pas mangé ou peut-être justement parce qu'il n'avait pas mangé, le sommeil de Milan fut agité. Le visage de la princesse revint le hanter.

Dans son rêve, il survolait la vallée des Crânes ceinturant la forêt des Inconstances sur le dos d'un animal aux formes indistinctes – comme c'est souvent le cas au milieu des rêves – quand une langue de feu terrifiante le fit tomber de la bête qu'il chevauchait. Commença alors une chute interminable qui s'acheva dans la gueule d'un dragon blanc que montait le comte Gustave, bête et homme harnachés avec les attributs ferrugineux du diable lui-même. Tout ceci dans le cri déchirant lancé par la princesse Mélodie mourante.

Milan se réveilla, haletant, la gorge sèche et le corps endolori par une peur indicible. Il se rendit à la fenêtre de sa chambre, ouvrit les battants et examina le ciel où luisait une lune blanche. Du grand disque laiteux se détacha une ombre grossissante qui bientôt habilla tout le pays d'Issy d'un voile obscur. L'ombre descendit vers Milan et flotta au-dessus de sa tête un long moment sans que notre jeune héros ne sût quoi faire.

C'est seulement quand la bête tourna la tête vers lui que Milan la reconnut. C'était Caresse, qui avait épousé la forme d'un grand dragon noir. Par quel prodige, mystère ou magie, une telle chose était-elle possible ? Milan l'ignorait, mais tel était bien l'état des faits qui se produisaient devant son regard étonné.

Milan se remémora les dernières paroles de la princesse Mélodie, cet après-midi-là, au Trou de Fayence : « *Tu as, près de toi, l'ange qui t'y conduira.* » Il comprit à qui la princesse faisait alors allusion.

Milan hésita à peine. Après avoir écrit un mot à ses parents les invitant à ne pas s'inquiéter de son absence, il enfourcha la puissante monture. Puis, d'un seul battement d'ailes, le dragon noir emporta son cavalier dans la nuit claire et illuminée par une lune déclinante.

16

Les Graboyes

L'ENVOLÉE AU-DESSUS DES VALLÉES et des forêts de conifères ceinturant les monts des Colibris réserva à Milan une longue suite d'émerveillements. L'eau des rivières se couvrait de diamants sous la dentelle lumineuse de la lune qui jetait sur les alentours une clarté crayeuse. Quand les jupons du jour commencèrent à dépasser de la robe de la nuit, le ciel se colora de rose et de mauve, teintes auxquelles s'ajoutèrent des franges orangées et lilas. Le monde sembla alors grossir et enfler comme s'il prenait une longue inspiration d'air frais afin de se défaire des derniers liens le rattachant à un sommeil profond.

La grande vallée dépassée, les forêts abandonnées derrière lui, l'étrange équipage entreprit la traversée des monts Colibris. La chose n'alla pas sans ennuis ni dangers. De loin, les montagnes paraissaient de douces échancrures montant de la terre pour cerner l'horizon d'une fine ligne dentelée et blanche. Mais elles s'avérèrent un obstacle presque infranchissable quand il fallut se résoudre à en survoler la crête.

Déjà en l'approchant par le sud, les terrifiantes parois de granit et les gorges profondes offraient un panorama qui, bien que saisissant, n'en était pas moins inquiétant. L'air aussi devint un véritable problème. Tiède d'abord, il se refroidit et devint glacial, donnant naissance à des bourrasques effroyables où se mêlaient des rafales de neige qui venaient briser les efforts de Caresse pour maintenir sa direction. Bientôt, sachant la voie impraticable et son cavalier frigorifié, la bête n'eut d'autre choix que de chercher un endroit où se poser. Et c'est là que les difficultés s'abattirent sur eux.

À peine eut-il posé les pattes sur la terre ferme que le dragon retrouva sa forme canine.

— Alors ? fit la bête à l'intention de Milan couché à ses pieds et qui se remettait mal de ses dernières émotions. Pas trop amoché ?

— Tiens ! Tu parles, maintenant ? lui répondit le garçon en se massant le bas du dos et les cuisses.

— Ça ne semble pas vous émouvoir outre mesure.

— Oh ! Tu sais, ma brave Caresse, là où nous en sommes dans cette histoire, il n'y a plus grand-chose qui puisse m'étonner.

— Tout de même ! C'est un peu vexant, vous avouerez. Vous, les jeunes d'aujourd'hui, il n'y a plus rien pour vous impressionner.

—Si, ma belle Caresse ! Ça ! répondit Milan en tournant vers le chien un visage épanoui par un large sourire.

—Ça ?

—Oui, ça, ce pays ! N'est-il pas magnifique ? Et providentiel ! Planté là, au milieu des montagnes, dans un paysage de glace, de neige, de vent et de froid ! Avoue que c'est inattendu et tout à fait miraculeux. Un jardin traversé par une source aux eaux cristallines, fraîches sans être froides, une pelouse taillée, des bosquets entretenus, des plates-bandes chargées de fleurs et de fruits. Je n'aurais jamais cru possible qu'un tel lieu existât sur cette Terre. Et ce calme, cette paix absolue ! On se croirait au paradis.

—C'est bien ce qui m'inquiète, rétorqua la bête, le regard plongé sur l'horizon.

—Qu'est-ce qui t'inquiète ?

—Ce silence !

—Qu'a-t-il de si paradoxal, ce silence ? Je le trouve très reposant.

—Trop, si vous voulez mon avis. On voudrait nous faire perdre toute prudence, mettre à bas toutes nos défenses, qu'on ne s'y prendrait pas autrement. Et puis nous n'avons pas le temps de nous reposer. Nous avons une mission à accomplir. Elle ne peut attendre. Et, pour ma part, j'ai le sentiment que nous ne devons pas nous attarder en ce lieu diabolique plus longtemps que nécessaire.

— Eh bien, moi, chère Caresse, j'ai celui que tu réfléchis trop ou alors très mal, ce qui revient au même. Diabolique, dis-tu ? Misère ! Qu'a donc de diabolique un tel lieu ?

— L'ombre de quelque mal patrouille en ce lieu… Des histoires courent concernant l'existence d'un tel endroit que nul homme ni bête n'a jamais vu et qui serait l'antichambre de l'enfer.

— L'ombre de quelque mal ! L'antichambre de l'enfer ! Que ne faut-il pas entendre, juste ciel ! Dis-moi, Caresse, suis-je le jouet de mon imagination ou n'es-tu pas un dragon noir réchappé d'une époque que je croyais révolue ?

— Si fait, mon jeune maître ! Je n'ai nul besoin de vous mentir sur ce point. Je suis bien un dragon noir. Et comme mes frères, j'ai le pouvoir de me transformer au gré des besoins et de l'époque. Voilà pourquoi je me suis joint à vous sous la forme d'un chien errant.

— Ne raconte-t-on pas que les hommes ont détruit tous ceux de ta race ?

— Où voulez-vous en venir, petit homme ? lança la bête avec agacement.

— Et qu'ils l'ont fait sur la foi de préjugés, de calomnies, de mensonges, de rumeurs fallacieuses et de commentaires sans fondements ?

— Certes ! Mais je ne…

—Ne tombe pas dans le même travers en méjugeant ce pays inconnu. Tire une leçon du mal commis par d'autres et n'oublie pas qui tu es !

—Vous croyez, petit maître, que je l'ai oublié ?

L'éclat de voix de Caresse jeta un froid entre les deux compagnons.

—Ce n'est pas ce que je voulais dire. Excuse-moi si je t'ai blessé.

—Vous ne m'avez pas blessé. Cependant, vous parlez de choses qui vous sont inconnues. La folie des humains n'est pas seule en cause dans cette affaire. Cette folie fut alimentée pour le bénéfice d'un seul homme.

—Je sais, fit Milan avec tristesse.

—Non ! Vous ne savez pas. Vous n'étiez même pas de ce monde quand la chose s'opéra. Nul humain ne sait ce que fut ce carnage. Ni combien il fut cruel. Mon peuple habitait la forêt des Inconstances depuis le début de ce monde. À l'insu des hommes, nous avons veillé de loin à leur installation sur les terres lointaines qui leur étaient favorables. Et depuis, nous les protégions comme une mère protège ses petits. Ils le savaient et pourtant ça ne les a pas empêchés de commettre l'irréparable. En une nuit, tout fut accompli. Quand le massacre s'arrêta, il ne restait que moi et la bête qui étions encore vivants.

—Quand tu parles de la bête…

—Je parle du Dragon Blanc, bien sûr, confirma Caresse dans un cri étouffé par la rage. Un être si malfaisant, si immonde qu'il n'hésita pas à sacrifier tous ceux de sa race pour rester seul en contrôle de son terrifiant destin. Tous les dragons furent éliminés, blancs, rouges, noirs. Je fus le seul épargné parce que mes parents avaient eu la sagesse de taire ma naissance et celle, doublement efficace, de me placer en sécurité loin des terres de mon peuple. Jamais je n'oublierai les cris, les hurlements de douleur qui envahirent le ciel de la forêt des Inconstances en cette nuit funeste. Car leurs hurlements s'entendaient de tous les coins de la Terre. Quand le jour se leva enfin, il n'y avait plus aucun son qui s'échappait de ce monde. Qu'un effroyable silence, une terrifiante tranquillité, une paix redoutable : ceux de la mort, de l'anéantissement final de tout un peuple. Et alors, alors le Mal s'est répandu sur le monde. Les hommes sont les seuls à présent à pouvoir le combattre.

—Non, mon amie, puisque tu es là. Tu me protèges. Tu es mon guide. J'ai toute confiance en toi.

—Alors, s'il en est ainsi, petit maître, écoute ce conseil : méfie-toi du silence. Il peut cacher les plus terribles menaces. Écoute ce lieu et tu n'entendras rien. Même l'eau qui coule ne pro-

duit aucun son. Tu sens le vent dans les feuilles des arbres, mais entends-tu frémir le feuillage de ce chêne ? Non ! Car tout bruit, ici, est
étouffé. Et ce lieu, tout merveilleux qu'il soit,
est délaissé par le chant des oiseaux.

— Peut-être as-tu raison ! Mais profitons
tout de même de cette halte pour refaire nos
forces. Buvons et mangeons. Nous en avons
besoin.

Caresse jeta un long regard sur le jardin
planté d'arbres fruitiers de toutes espèces et de
fleurs aux coloris chatoyants.

— Et qui te dit, lança-t-il d'une voix pru-
dente, que cette eau et ces fruits, plutôt que de
te rendre tes forces, ne te les prendront pas ?
Méfie-toi, petit homme, de ce qui te paraît trop
séduisant. Contrairement à tout ce qu'on t'a
enseigné, le diable n'est jamais laid. Je vais
essayer de trouver un passage qui ne soit pas
soumis à la tempête et qui nous conduira en
sécurité hors des monts Colibris. En attendant,
je te conseille de te faire invisible et de ne manger ni de ne boire quoi que ce soit venant de
ce pays.

— Mais j'ai faim, moi ! rétorqua Milan.

— Aussitôt que nous aurons passé les
monts, je te conduirai en un lieu tout à fait sûr
où tu pourras te gaver à satiété sans t'inquiéter pour ta santé.

Là-dessus, la bête ouvrit ses ailes et prit son envol.

—Caresse, espèce de bête chien, hurla le garçon, je n'aime pas qu'on me traite comme un enfant, ni qu'on me donne des ordres, ni que… Je boirai si je veux ! Et je mangerai si je veux ! J'ai faim, moi ! Je ne suis pas un modèle vivant de gargouille de cathédrale qui se serait trompé d'époque. C'est vrai, quoi ! Après tout, c'est toi qui m'as conduit ici ! J'ai si faim que j'ai le nombril collé à la peau du dos.

Pendant une bonne heure, Milan résista à la tentation de se nourrir. Mais bientôt il succomba. Rien ne le dit mieux qu'un bon dicton : ventre affamé n'a point d'oreilles. Aussi Milan resta-t-il sourd à toute prudence et fermé à ce qui se produisait autour de lui depuis le départ de son amie. De longues mais discrètes tubulures s'étaient formées sous les grandes terrasses gazonnées et pointaient toutes en sa direction

Milan épluchait le fruit joufflu qu'il venait de cueillir. Ça ressemblait à s'y méprendre à un pamplemousse. Un jus sucré et rosâtre se répandait sur ses mains. Il s'en dégageait un arôme envoûtant. Il vit bien que la chair du fruit n'avait rien à voir avec celui d'un pamplemousse ou d'une orange ou de quelque autre fruit de sa connaissance. La pulpe était de couleur émeraude et sa chair filandreuse. Dès la première bouchée, Milan sentit que quelque chose n'allait pas. Le fruit avait un arrière-goût de faisandé et le jus était amer et fort acide. Mais la faim était la plus forte et, surtout, le fruit possédait cet étrange pouvoir qu'une fois qu'on y avait mordu, il n'était plus possible de s'arrêter. Et malgré le sommeil qui venait, Milan avala tout le fruit. Voyant qu'il ne pouvait rester éveillé, il voulut se désaltérer aux eaux cristallines en espérant qu'elles lui redonneraient la force de résister à l'envie de dormir.

Mal lui en prit ! La première gorgée aussitôt avalée, il sombra dans un profond sommeil. C'est alors que depuis la tête des tubulures jaillirent par centaines de petites créatures grouillantes et bruyantes.

Bien qu'elles fussent minuscules – pas plus de trente centimètres de haut – elles emportèrent le corps de Milan en direction de l'est avec une facilité déconcertante. Faibles à l'unité, ces créatures compensaient par le nombre la fragilité de leur corps. Un étrange grasseyement émanait de ces milliers de bouches, comme si elles entonnaient en chœur un chant de guerre.

Caresse était sur le retour, ayant trouvé ce qu'elle cherchait, quand elle avait vu surgir de terre ces innombrables petits monstres qui s'étaient jetés sur Milan comme une colonie de rats sur une carcasse pourrissante. D'aussi loin qu'elle fut, elle n'avait rien manqué de la scène.

—Les Graboyes ! marmonna-t-elle avec effroi. Ces horribles monstres ! Je savais que cet endroit était diabolique !

Malgré le danger qui le guettait, le dragon n'hésita qu'une fraction de seconde. Dressant ses ailes, il fondit sur cette engeance à une vitesse qui confondit l'ennemi.

À grands cris, montrant le poing, grimaçant, les Graboyes abandonnèrent leur proie et se réfugièrent dans une caponnière qui s'enfonçait dans le sol à quelques enjambées du lieu où gisait Milan.

Le dragon se posa tout près du garçon qui continuait à ronfler, ne se doutant pas du danger qui le guettait.

—Réveillez-vous, mon jeune maître, suppliait la brave Chienne en secouant Milan pour qu'il consentît à ouvrir les yeux.

Mais rien n'y fit. Milan n'obtempéra à aucune des supplications de la Chienne qui ne paraissait plus savoir quoi faire.

—Maître, continuait d'insister la bête en secouant le garçon ! Réveillez-vous ! Ce sont les Graboyes ! Les lutins des montagnes ! Ils sont extrêmement cruels. Ils vont revenir. Secouez-vous, nom de nom ! Il faut reprendre vos esprits.

À cet instant, on entendit surgir du sol un écho qui paralysa la Chienne.

—Ils arrivent, mon maître ! Une masse sans doute considérable !

Une idée, la seule qui se présenta à la bête : courir au ruisseau et s'y jeter. Ce qu'elle fit en trois bonds. Dégoulinante, elle se secoua ensuite au-dessus du garçon qui reçut au visage une pleine giclée d'eau glacée. Cette fois, Milan réagit, bien que faiblement. Il frissonna et entrouvrit les paupières.

—Il faut vous réveiller, clama Caresse en secouant le pauvre garçon à peine sorti de son engourdissement. Ils arrivent ! C'est la mort pour tous les deux s'ils nous surprennent ici. Étirez les bras. Voilà ! C'est bien !

C'est alors que surgit des fossés une armée innombrable de ces diablotins, poilus, grognards, aussi laids que des poux. Le temps n'était plus aux tergiversations. Caresse dressa ses pattes avant. De ses flancs allongés surgirent deux immenses ailes. Tout son corps vibra pour s'arracher du sol. Ce qu'il fit au moment où une centaine de ces bestioles se retenaient à ses poils.

—Accrochez-vous à ma fourrure, mon jeune maître. Nous décollons.

Couinant comme la vermine qu'ils fréquentaient, les Graboyes, agrippés aux flancs de Caresse, tentèrent d'atteindre Milan qui peinait à garder son équilibre. Un coup de la large queue du dragon suffit à les chasser. Ils tombèrent et allèrent éclater comme des tomates trop mûres sur les roches tranchantes de la montagne.

Une clameur courroucée accueillit cette chute fatale. Alors, une flopée de traits acérés aux pointes trempées dans un mortel nectar monta vers le ciel et atteignit la pauvre bête en plein vol. Caresse reçut les milliers de flèches sans pouvoir en éviter une seule. Et bien que minuscules, les flèches étaient si nombreuses qu'elles réussirent à injecter assez de poison pour mettre en danger la vie du dragon.

Malgré le péril qui la guettait, elle continua sa course. Ce n'était vraiment pas le moment de s'arrêter. En moins de vingt secondes, elle avait mis assez de distance entre elle et les Graboyes pour assurer la sécurité de son jeune passager. Mais chaque effort fourni par la bête pour passer le col des monts Colibris accentuait la propagation du poison dans son corps.

17

Pour un fagot
de branches sèches

LE PASSAGE ÉTROIT QU'EMPRUNTA LE DRAGON noir pour s'échapper du pays des Graboyes ne fut pas sans danger. Il fallut à nouveau affronter les vents et la neige. Mais il fut tout de même franchi. Les derniers escarpements des monts Colibris s'effacèrent bientôt. Ils cédèrent leur place à de vastes plaines marécageuses sans arbres, grises et déprimantes. Caresse tenta de les survoler, mais bientôt ses dernières forces l'abandonnèrent. Ce fut le crash.

C'est là que s'abîma le triste équipage. Le tourbillon dans lequel était entraînée la pauvre bête blessée finit par réveiller Milan qui n'en menait pas large. L'atterrissage fut plus que brutal et l'envoya bouler dans une mare aux eaux verdâtres et herbeuses. Cela eut au moins l'avantage de le réveiller d'un seul coup. Il se releva tant bien que mal et se dirigea aussitôt vers Caresse qui ne bougeait plus et respirait à peine.

C'est à ce moment que Milan prit conscience de l'état déplorable dans lequel se trouvait la pauvre bête. De violents spasmes agitaient son corps brûlant.

— Caresse ! Caresse ! Ma belle ! Mon amie ! suppliait le garçon en secouant la Chienne à bout de bras. Qu'est-ce que tu as ? Où donc as-tu mal ? Ouvre les yeux. Respire ! Respire doucement ! Voilà ! Ne t'agite pas !

À force d'insister et de caresser la bête, il sembla à Milan que son amie respirait mieux. Les spasmes avaient cessé. Mais la fièvre, elle, semblait avoir augmenté.

— Maintenant, ma belle, essaie de parler. Dis-moi où tu as mal. Parle, je t'en prie !

De grosses larmes coulaient à présent sur le visage du garçon. Son amie était en train d'agoniser dans ses bras et il ignorait ce qu'il devait faire pour la soulager. Ils étaient au milieu d'un pays qu'il ne connaissait pas. Et, en plus, il ne savait ni comment ils étaient arrivés là ni comment en repartir. Seul, sans Caresse pour le guider, il était condamné à mourir de faim, de fièvre ou de solitude.

— Caresse, merde ! Il faut te secouer ! hurlait Milan en piochant la terre humide de ses poings à présent couverts de sang. Tu ne vas pas m'abandonner, tas de poils pleins de poux ! Bouge, parle, ouvre les yeux ! Je t'interdis de mourir, tu m'entends. Je t'aime, sale cabot. Je ne veux pas que tu meures. Je ne veux pas !

Il leva les yeux avec le fol espoir de trouver un passant, une maison, un campement, une trace. Mais dans ce monde où ni l'eau ni la terre ne se distinguaient d'un ciel lourd et chargé d'odeurs âcres, ils étaient bel et bien seuls. C'est la fatigue qui eut raison des atermoiements du garçon. Il se laissa retomber sur le corps immobile de Caresse qui respirait de plus en plus mal.

L'animal émit alors une faible plainte. Oh ! Il fallait être tout près de sa gueule comme l'était à présent Milan pour l'entendre. Celui-ci se redressa. Il vit la bête déplier lentement sa patte arrière et dégager ainsi son flanc meurtri.

Ce que Milan aperçut faillit le faire vomir. Les plaies étaient innombrables et purulentes. Toutes avaient été causées par les mêmes armes, de minuscules escarbilles terminées en pointes qui s'enfonçaient sous la peau. À n'en pas douter, c'étaient des flèches et sans doute leurs extrémités avaient-elles trempé dans un poison quelconque. Voilà la source du mal dont souffrait son amie.

Milan essaya de les retirer. Mais ce fut peine perdue. Pour une qu'il réussissait à extraire, cent autres apparaissaient, toutes plus ou moins prisonnières sous la toison imbibée de sang et croûtée de pus. Et puis, il risquait lui-même de se piquer et de se contaminer. Non,

il devait trouver une autre solution. Un antidote ! Il y avait nécessairement un antidote à
ce poison. Il devait y en avoir un. Il le fallait.

« À tout mal correspond un bien ! » se rappela Milan. Le bien et le mal sont les deux faces
d'une même pièce. C'étaient les paroles que
lui avait souvent répétées dame Cunégonde,
l'herboriste de la Cité du pays d'Ailleurs, la
mégère, celle que personne ne saluait, sauf lui.
Chaque fois qu'il le pouvait, il faisait un bout
de chemin en sa compagnie, l'aidait parfois, à
l'insu de tous, à cueillir ses herbes. Elle ne triait
que celles qui étaient parfaites, sans tache ni
cerne. Elle lui avait un jour livré le secret de
certaines d'entre elles. Elles traitaient alors des
poisons.

« Les poésions, mio bello garçouille, esta
pas tou pareils. Idens faillent vite danse le san-
gré et mortaillent les victouilles comme ça !
Quick ! Dostrès estaillent plusse patientes et
montassent tresse, tresse lentémenté. Soncent
les plusse terribilé pouquaille on ne les œillas-
sent point à temporo. Et le mal se faille si dou-
cementé qué c'estaille point de la facilitad d'en
trouvaille la source. Qué c'estaille itou point
de la facilitad de retrouvaille le coupable qui
ailleurs eut le tempro de disparaître. Les plusse
finaudes des personna ustilisent ces poésions.
Multo plus facilitad esta multo plus suffragéré

por les victouilles... Ouillassent bienne l'her-
baille icitte...[1] »

Milan était sur les genoux, tout surexcité
de se rappeler aussi distinctement les paroles
de la sorcière. Les mots se détachaient de son
esprit avec une singulière clarté. Mais de quelle
herbe était-il question ici ? Et quelle était la pré-
paration qui donnait toutes ses vertus curati-
ves à une telle potion ? Ses souvenirs étaient
sur ces deux points beaucoup moins limpides.
Mandragora ? Non ! Ciguë, aremberge, caquen-
lit, ortie bâtarde ?... Cor... Car... Cir...

— La circée ! hurla Milan. Oui, de la circée
dans un réduit de vin aux fruits de genévriers,
le tout servi très chaud... Caresse, j'ai trouvé !
Suffit de la... préparer.

Plus facile à dire qu'à faire !

Du vin, il avait ; mauvais, mais du vin tout
de même. Mais la circée et les fruits de gené-

---

1. — Les poisons, mon beau garçon, ne sont pas tous pareils.
Certains agissent de manière foudroyante, d'autres sont
plus lents à agir. Ils s'insinuent dans le sang imperceptiblement. Ces poisons sont indétectables et quand les symp-
tômes apparaissent, il est souvent trop tard pour agir et
trop tard pour trouver le coupable qui a eu le temps de
disparaître. Les assassins les plus finauds utilisent ce genre
de poisons, surtout qu'ils font mourir leurs victimes dans
des douleurs épouvantables. Mais il y a, contre ces derniers poisons, un antidote fort efficace. Regarde bien l'her-
bage que je tiens entre mes mains.

vriers et le bois pour le feu sur lequel faire bouillir la décoction, où les cueillir au milieu de ces marécages nauséeux ? Milan passa de la joie sublime au désespoir absolu. Sa mémoire lui restituait le moyen de sauver son amie et la réalité du lieu le lui retirait aussitôt ; c'était inadmissible, injuste, enrageant !

Levant les yeux pour implorer le ciel, Milan vit alors une immense pierre noire qui saillait du sol à une dizaine de mètres sur sa droite. Une petite voix intérieure lui intima de s'y rendre. En rampant plus qu'en marchant, il arriva à l'éperon rocheux et il regarda derrière celui-ci. Il y trouva un fagot de branches sèches, une botte de circée toute fraîche, des baies de genévrier et une boîte d'allumettes. En remuant le tas de branches, les yeux écarquillés par l'étonnement, il réveilla une colonie d'elfes et d'âmes errantes qui s'agita devant ses yeux.

— Ah ! C'est toi, firent-elles en chœur comme elles avaient l'habitude de le faire. Nous ne t'attendions plus. Tu trouveras ici tout ce qui te manque. Fais vite, le temps presse. Dans moins d'une heure, le poison aura fait son effet et Caresse mourra.

— Mais que faites-vous ici ? Comment saviez-vous que…

— Nous n'avons pas le temps de tout t'expliquer, fit un elfe qui semblait plus âgé que les autres. Sache seulement que les âmes errantes ont le pouvoir de se mouvoir sur la ligne du temps et de voir dans l'avenir. Mais c'est tout ce que nous pourrons faire ! Ici est le plus loin que nous puissions aller sans mettre notre existence en danger. Désormais, petit homme, tu es seul à pouvoir intervenir. Bonne chance !

Sur le coup, Milan se dit que la présence de ces allumettes était un brin étonnante puisqu'elles ne seraient inventées que cinq siècles plus tard par le chimiste anglais Sir John Walker. Puis il se dit : « On s'en balance ! » Il fourra les allumettes dans sa poche, les herbes dans… bien, dans son autre poche et le fagot de branches sèches dans… je veux dire sur son dos. Voilà ! Et il retourna vers Caresse.

Quarante minutes plus tard, Milan faisait boire à la Chienne l'antidote qu'il avait préparé avec un soin méticuleux. Le lendemain matin, la bête sortit de son hébétude, se plaignit de maux de ventre et de douleurs intestinales. Milan, incapable de se rappeler les dosages requis, avait un peu forcé la quantité de circée. Et comme cette plante, outre qu'elle soit d'une prodigieuse efficacité contre les poisons, a aussi le pouvoir d'agir sur les activités digestives et sur le transit des déchets solides dans les boyaux du bas ventre, elle contraignit la bête à expulser ses… Enfin vous voyez ce que je veux dire… Ces lieux gardent encore aujourd'hui le souvenir des évacuations intes-

tinales de la pauvre bête qui, à défaut de tré-
passer des soins malvenus du poison, faillit
périr d'une trop grande défécation.

Trois jours plus tard, sa santé s'étant réta-
blie et ayant retrouvé ses forces grâce aux grenouilles pêchées à la main par Milan, Caresse
s'envolait vers l'ouest avec notre jeune héros
accroché à son dos.

18

Le pays de Pandora

L A RANDONNÉE AVAIT ÉTÉ JUSQUE-LÀ TRAN-
QUILLE ET SILENCIEUSE. Milan, accablé de
fatigue et le corps endolori, s'était enfoui
sous le chaud duvet de la bête et s'était abandonné à un profond sommeil. Quand il s'éveilla,
la faim qu'il avait négligée en raison de l'inquiétude que lui inspirait l'état de santé vacil-
lant de son amie, se rappela douloureusement
à lui. Des crampes lui tenaillaient l'estomac.

— J'ai faim ! clama-t-il avec autorité.

— Il faudra patienter, mon jeune maître.

— Je ne peux pas. J'ai le ventre qui hurle.

— Eh bien ! Mettez-lui une sourdine. Là où
je vous amène, vous pourrez boire et manger
tout votre saoul sans regarder à la dépense.

— Et c'est loin ?

— Je l'ignore ! Dormez, le temps vous
paraîtra moins long.

Milan se rendormit de mauvaise humeur.
Quand il s'éveilla, quelques heures s'étaient
ajoutées aux précédentes. On avait abandonné
sur la gauche les combes du Myrmidon, dépassé sur la droite la Faille du Zéphyr pour

survoler les tourbières de la Bourbonne et le lac de la Félicité. C'est au-delà des eaux sombres de ce lac que s'étendaient les steppes herbeuses cernant à distance visible la mystérieuse forêt des Inconstances, but de cette longue chevauchée.

Légèrement au-delà des steppes, un doux panorama formé de vallées fleuries s'offrit au regard de Milan. L'air y était doux et l'endroit regorgeait de lieux où faire halte. Le soleil commençait à décliner sur l'horizon et le soir ne tarderait pas à tomber.

— Voici le val des Crânes.

— Étrange nom pour un lieu aussi charmant ! opina Milan.

— Nous avons atteint l'endroit où j'avais promis de vous conduire, mon petit maître.

— S'il te plaît, Caresse, cesse de m'appeler « *mon petit maître* ». C'est navrant et ça me déprime.

— Oui, eh bien, c'est tout de même ici !

Le dragon fit une longue boucle dans le ciel et se posa doucement près d'un boisé qui fleurait bon la menthe sauvage et le tilleul en fleurs.

— La forêt des Inconstances est à distance visible. Voyez au loin. Mais ici nous serons en sécurité. Nous nous y arrêterons quelques jours. S'aventurer dans la forêt des Inconstances sans un plan précis pour en sortir serait la plus grave erreur.

— Pour nous en sortir ! ricana Milan. Nous n'avons même pas de plan pour y entrer. Alors pour en sortir…

— Nous n'avons nul besoin d'un plan pour trouver le comte Gustave. C'est lui qui viendra à nous. Il sait que nous sommes là. Son regard ne nous a pas quittés depuis que nous sommes partis du pays d'Issy.

— Quoi ? Il nous suit depuis le départ ?

— D'une certaine façon. Ses espions ne nous ont pas quittés d'une semelle. Ils ont laissé des traces de leur passage en chaque lieu où nous nous sommes arrêtés.

— Tu le savais et tu ne m'en as rien dit ?

À quoi cela aurait-il servi de vous mettre au courant ? Vous étiez assez inquiet comme ça sans ajouter au poids de votre accablement par des révélations contre lesquelles, de toute façon, vous ne pouviez rien.

— Et comme résultat, maintenant, le comte Gustave a été informé de chacun de nos déplacements.

— Et alors, qu'est-ce que cela change ? Il sait très bien quels sont nos projets et il connaissait le but de ce voyage bien avant que nous ne le décidions. Ce qu'ont pu lui apprendre ses espions est sans intérêt. L'essentiel, c'est que, maintenant, nous ne les ayons plus dans les pattes. Le comte Gustave est maintenant privé de ses yeux.

—Que veux-tu dire ?

—Les explications viendront plus tard, petit maître. Venez ! Ne restons pas à découvert.

Ils marchèrent quelques lieues vers l'est. Puis ils arrivèrent à une clairière où coulait une source fraîche et où de hautes herbes cachaient un campement qui semblait avoir été préparé spécialement pour eux depuis un très court moment. Un feu de bois, bagué de pierres, y était monté, et deux lits de fougères fraîches avec des couvertures chaudes semblaient les attendre. Dans un coin, sous un arbre, se trouvait un sac de victuailles : pain à la mie tendre, fromage, vin frais et gobelets, viande salée et fruits juteux, galettes de raisins et poulet rôti encore fumant.

Milan s'arrêta à la vue de ce festin tout à fait providentiel et tout à fait… tout à fait…

—Incroyable et dangereux tout ça ! Faut se méfier ! Où nous as-tu menés, Caresse ? Fuyons avant que les occupants de ce campement ne nous trouvent. Qui sait si ce n'est pas le bivouac des espions du comte Gustave.

—Nous n'avons plus rien à craindre de ceux-là, clama la Chienne en réprimant un bâillement. Elle pointa le museau dans la direction du sous-bois à courte distance et désigna un monticule qu'un rayon de lune éclairait. Je ne crois plus qu'ils soient une menace pour personne, désormais, conclut la Chienne en s'assoyant sur sa couche. Je ne sais pas pour vous, ajouta-t-elle aussitôt, mais moi, je suis affamée.

— Mais qu'est-ce que tout ceci ? demanda Milan.

— Vous croyez, mon jeune ami, que je me serais lancée dans cette aventure sans m'assurer que nous ayons quelque chance de réussir ? J'ai mis mes nombreuses relations en jeu afin qu'elles nous assurent un atterrissage en toute quiétude dans le plus grand confort possible.

— Caresse ! Je déteste tout cela. Caresse, merde ! Je te parle… Je déteste tous ces secrets. Je n'aime pas cette bonne humeur. Elle est tout à fait déplacée. Ignores-tu où nous nous trouvons ? Ce feu va nous faire voir à des lieues à la ronde comme un X sur une carte. Si tu souhaitais garder l'anonymat sur notre présence ici, voilà une peine bien inutile ! Et puis, quel est cet étrange monticule sur lequel rien ne pousse ? Et qui sont tes amis ? Et puis toute cette nourriture ? Qui te dit qu'elle n'est pas empoisonnée ?

— Primo, ce monticule est ce qui reste de la centaine de Macoutes envoyés par Gustave pour nous faire un mauvais parti et dont mes amis ont eu la délicatesse de nous débarrasser avant notre arrivée. Deuzio, je ne souhaite pas du tout passer inaperçu. De toute façon, comme vous le disiez, ce serait peine perdue. Tertio, mes amis sont du peuple des Muridés.

—Quoi ? Les rats ? Tes… tes… tes amis sont des rats ? Mais, imbécile, ignores-tu donc que les rats sont les vecteurs des pires épidémies sur Terre : la rage, les grandes purulences, et… et… et – avant de prononcer le mot, Milan se signa trois fois pour chasser le mauvais sort – la peste ? On dit que Venise et Paris en sont envahies. La pestilence s'est abattue sur la moitié de l'Europe. Pas plus tard qu'il y a cinq années, en 1178, elle a frappé aux portes du pays d'Ailleurs. Les rats sont porteurs de tous les maux !

—Ceux de la ville le sont ! clama le chien noir. Mes amis sont des rats tout à fait fréquentables, dodus, polis et en très bonne santé. Ils sont de la campagne et ils se nourrissent exclusivement du riz des meilleures rizières. Et pour le prouver, bien que la gent trotte-menu soit ici en nombre considérable, le pays n'a jamais souffert de quelque épidémie que ce soit.

—Et tu dis que ce sont eux qui ont tué ces…

—À cent contre un, ils y parviennent aisément. Alors à mille, tu penses !

—Quoi ? Ils sont mille rats à nous observer ?

—Je dirais dix mille, vingt… Je ne saurais dire très exactement. Ils ont mis le feu aux cadavres. Ce monticule n'est plus qu'un tas de cendres. Question de semer la crainte chez leurs petits copains qui auraient eu l'idée de vouloir les remplacer. Mes amis ont aussi préparé ces couches, ce feu et cette nourriture. À présent, ils font le guet. Ils nous avertiront si quelque chose devait se produire. Mais j'en doute.

— Des rats qui montent la garde, qui savent faire du feu. Je suis en train de devenir fou !

— Et faire cuire du poulet, du pain frais et des légumes. Tu as tort de te priver de cette nourriture. C'est délicieux.

Mais Milan ne l'écoutait plus. Il s'était avancé vers le lieu de crémation où fumaient encore les restes d'une centaine d'hommes, en effet, si Milan se fiait aux casques qu'il retrouva. À ses pieds, il ramassa une paire d'éperons noircis, une cotte de mailles et un ceinturon rongé par les flammes au bout duquel pendaient une dague et une longue épée. Sur la cotte de mailles, il reconnut les insignes du comte Gustave.

— Ce sont bien les soldats du comte. Sa marque est imprimée sur les armes et la cotte de mailles que j'ai retrouvées. Il y avait aussi cela. (Milan lança l'éperon qu'il avait ramassé aux pieds de la Chienne). Ces hommes étaient venus à cheval et je n'en vois aucun.

— Les bêtes ont subi le même sort que leurs maîtres, résuma la Chienne noire d'une voix distraite.

— Mais pourquoi les chevaux ? Ces bêtes n'avaient rien fait de mal sinon porter le gros derrière de ces criminels !

Caresse déposa la pièce de viande dans laquelle il s'apprêtait à mordre.

— Vous croyez donc, petit humain, qu'il n'y a que les hommes qui soient capables de cruauté ? Que toutes les bêtes de ce monde sont innocentes du mal qu'elles transportent ? C'est bien ça ? Et que parallèlement, si j'en crois votre raisonnement, tout le bien de ce monde, le courage, la générosité, la fidélité, l'amour et l'honneur, est le seul fait des hommes ? Que les bêtes sont incapables de tout élan de bonté ni d'acte malin ? C'est ça que vous croyez ?

— C'est ce que Dieu a voulu, riposta Milan. C'est ce que nous enseigne notre très sainte mère l'Église.

La bête s'approcha de Milan et le dévisagea avec une telle autorité que Milan en resta un moment paralysé.

— Eh bien, petit bonhomme, oubliez votre Dieu et oubliez un instant votre Église. Ce dont je dois vous instruire ne ressemble à rien de ce que vous connaissez. Les bêtes sont, elles aussi, porteuses du bien et du mal, capables du meilleur et du pire. Les bêtes que vous aurez à combattre vous surprendront et vos armes habituelles vous seront inutiles. Oubliez l'armure, l'épée, la massue, la dague, le bouclier, la lance, l'arc ou les flèches. Ici, c'est l'esprit qui conquerra l'esprit. La patience, le courage, la vitesse de réaction, et surtout la confiance en soi, voilà quelles seront vos armes.

Le repas passa pour Milan en un enseignement précis des règles qui régissaient le combat dans lequel il allait être engagé : le combat pour la continuité du monde, un combat où il aurait à se confronter à ses plus grandes peurs, à ses faiblesses les plus criantes ; un combat dont il ignorait tout, le nom exact de celui qu'il aurait pour adversaire et le lieu où se produirait le duel. Il ne savait même plus les raisons qui motivaient ce combat. Bien sûr, il fallait délivrer la princesse Mélodie ! Mais ce n'était que le prétexte. D'autres motivations qui n'étaient pas les siennes étaient également en jeu. Et de bien plus grande envergure ! Mais lesquelles ? Voilà qui dépassait la sphère de son entendement.

La nuit était déjà avancée quand Caresse arriva au terme de ses longues explications.

— Le combat entre le Bien et le Mal ! balbutia Milan après un long silence. Ma destinée est donc de détruire le Mal.

— Pas tout à fait, mon garçon ! Pas tout à fait le détruire. En tout cas, pas dans les termes où vous êtes habitué à entendre parler de ces choses.

185

— N'oublie pas que le Bien et le Mal sont les deux versants d'une même entité. Ils sont l'un et l'autre les tenants du cadeau des dieux. Et les dieux ne nous ont pas laissé le loisir de choisir la seule part qui nous convient. Il nous faut conjuguer avec un tout et ne point transiger sur ce qui est, de par sa nature, indissociable.

— Tu sembles au fait de tant de choses concernant cette affaire. Ce combat, ne serait-il pas d'abord le tien ? Je veux dire, pourquoi c'est moi qui y suis mêlé jusqu'aux oreilles ? Après tout, c'est à vous les dragons que les dieux ont confié la mission de répandre sur Terre et de protéger le Bien et le Mal.

— Nos heures sont à présent comptées. En nous pourchassant et en nous exterminant comme des êtres malfaisants qu'ils croyaient que nous étions, les Hommes se sont appro-priés sans le savoir le rôle qui nous était dévolu depuis le début des temps. Ce combat est leur ultime quête. Et vous en êtes le dépositaire bien malgré vous, Milan. Mais nonobstant pareil fait, les dieux, dans leur sagesse, avaient inter-dit que les dragons se battent entre eux. Enne-mis, mais jamais adversaires. Le Bien et le Mal ne sont pas des entités à mettre en balance dans un combat ultime. Servir les dieux est une mis-sion difficile.

— Mais le Bien n'est-il pas une chose à sou-haiter et le Mal, une chose à anéantir ?

186

— Mon jeune ami, il serait futile et dangereux de chercher à détruire le Mal, car le Mal vous détruirait et, à travers vous, tout le Bien que le Mal combat. Vous devez apprendre une vérité absolue qui va bien au-delà de tout ce qui vous a été enseigné : le Bien et le Mal sont intimement liés. Détruire l'un, c'est détruire l'autre. On ne fait le Bien qu'en combattant le Mal. Or, comment faire le Bien s'il n'y a plus de Mal ? L'équilibre de ce monde serait rompu. Le Bien n'y aurait plus sa place non plus et le monde péricliterait avant de s'abîmer dans le néant. Le Bien et le Mal sont des entités volatiles et fragiles. Elles n'ont qu'une façon de se définir : c'est en s'opposant.

— Je ne comprends rien à ce que tu racontes.

— Réfléchissez, petit homme… Ce qui est Bien pour vous est Mal pour votre ennemi. Et ce qui est Bien pour lui est Mal pour vous. En ce sens, lui aussi croira combattre le Mal en vous combattant.

— Mais si le Bien est le Mal et le Mal, le Bien, comment fait-on pour les distinguer l'un de l'autre ?

— C'est tout à fait impossible !

— Tes propos frôlent l'hérésie, s'emporta Milan. Et tu sais qu'en nos temps sombres, l'hérésie est passible du bûcher.

—L'obscurantisme de notre époque n'a aucune prise sur la réalité des faits dont je te parle. Ignorer cette réalité, c'est ignorer les fondements mêmes sur lesquels s'est inscrite la Création depuis le début des temps.

Il y eut un long silence. Quelques fumerolles s'échappèrent des flammes et allumèrent quelques fugitives étoiles sur un ciel qui rosissait déjà à l'est.

—Tout ce que tu dis me dépasse, Caresse. Y souscrire m'oblige à renoncer à tant de choses. Je suis fatigué, si fatigué.

—Reprenez courage ! C'est tout à fait normal que vous ressentiez une certaine lassitude. Reposez-vous ! Demain, vous verrez les choses sous un autre jour.

Milan s'étendit sur un des lits de fougères et sombra aussitôt dans un profond sommeil.

19

La sorcière Médessa

COMME LE LUI AVAIT PROMIS LA BRAVE CHIENNE, Milan se réveilla le lendemain de meilleure humeur. Il avait à peine terminé son petit-déjeuner que Caresse lui lança sa culotte.

—Habillez-vous, petit maître. Je vous amène en excursion.

Ils partirent, chien devant, traversèrent bosquets et clairières, puis ils arrivèrent sur les rives d'un lac émeraude qu'ils contournèrent avant de s'arrêter devant les ruines du château de Boutaze.

L'endroit était désert. Les murs des tours et des murailles se devinaient dans l'alignement imprécis des décombres que les futaies et les herbes hautes recouvraient en grande partie. Seule, une croisée d'angle était encore debout, témoignant à elle seule de la grandeur et de la beauté qui avaient dû caractériser ces lieux bien des siècles auparavant.

—Cette contrée, expliqua Caresse, était jadis le pays de Pandora. Une vaste et riche cité s'élevait à cet endroit. Là-bas, sur votre droite, là où s'étire cette large et profonde vallée, coulait un fleuve superbe qui débouchait sur la vaste mer océane, bien plus au sud. Ce fleuve permettait aux Pandoraniens de commercer avec les terres lointaines où vivent, dit-on, des hommes à la peau jaunâtre et aux yeux bridés. Des pays, dit-on encore, si riches, que les palais sont d'or, ainsi que les vêtements et les nombreux bijoux que portent hommes, femmes et enfants.

De leurs expéditions en ces terres lointaines, les Pandoraniens rapportaient des vases remplis de pierres précieuses, de perles, d'huile exquise, du riz, du poivre et des épices de toutes les couleurs et de tous les parfums, des herbes encore dont on tirait des breuvages onctueux ou des médecines miraculeuses, des tissus si légers et si doux que la brise la plus légère suffit à les faire s'envoler. On en ramena aussi des bêtes fabuleuses et des êtres de grande science et d'une haute sagesse qui contribuèrent à écrire la légende du pays de Pandora.

— Mais si ce pays était si puissant, demanda Milan, comment a-t-il pu disparaître en ne laissant aucune trace dans l'histoire des hommes ? Car je n'ai jamais entendu parler de ce peuple avant aujourd'hui. Et je doute que quiconque en ait jamais ouï le moindre mot.

— L'histoire du pays de Pandora est un triste amoncellement de déboires et de faiblesse de l'âme, mon jeune maître. Il faut que vous sachiez que l'opulence et la prospérité entraînent à leur suite deux calamités auxquelles sont confrontés tous les privilégiés de ce monde. Et il faut beaucoup de sagesse pour conjuguer avec elles.

La première est la plus sournoise, car elle sape les forces vives d'une nation : c'est la décadence. Et Pandora ne fut guère épargnée par elle. Ses richesses entraînèrent le peuple, ses princes et ses rois eux-mêmes dans les pires excès qu'entretiennent la folie des grandeurs, la jouissance immodérée des biens et l'immoralité. Tous sombrèrent dans la plus débilitante des débauches. Le pays y abandonna ses réflexes d'autodéfense, son énergie créatrice et toute sa capacité de réaction. Il s'offrait comme un fruit mûr à qui voulait le prendre. Et c'est ici que se place la seconde et la plus funeste des deux calamités : l'envie.

Être riche, le faire savoir à tous par une orgueilleuse ostentation, et prétendre à la toute puissance excitent la convoitise. Pandora fut vite aux prises avec une multitude d'ennemis qui l'assaillirent de toutes parts. Les premières guerres entreprises contre elle furent d'abord vouées à un échec retentissant. Les ennemis n'étaient pas de taille. Et cette facilité à les vaincre convainquit le peuple pandoranien de son indestructibilité. Il relâcha sa garde et, quand un coquin digne de lui l'attaqua, il fut incapable de réagir et périt en une nuit sous les coups du plus improbable de ses ennemis.

— Et qui était cet ennemi ?

À cette question, Caresse se leva.

— Venez, Milan. Suivez-moi ! J'ai quelque chose à vous montrer.

Les deux amis marchèrent une demi-lieue vers le nord. Ils s'arrêtèrent devant un tumulus de terre sèche sur lequel rien ne poussait. En ce pays où la vie prenait ses aises tout autour, en fleurs, en herbages et en arbres de toutes essences, ce coin aride avait quelque chose d'anachronique et d'inquiétant.

— C'est ici que s'élevait autrefois la demeure de la sorcière Médessa. Elle avait l'œil des dieux, disait-on, et pouvait lire l'avenir des rois et des peuples. Elle était crainte et vénérée par tous les Pandoraniens. Sa renommée traversait les frontières. Elle était connue de toutes les cités du monde. Elle n'avait point d'âge et les années de sa vie remontaient à l'origine du monde.

— À l'origine du monde !

— C'est du moins ce que raconte la légende. Mais cela n'a guère d'importance. Ce qu'il faut retenir c'est que les gens croyaient comme vérité absolue tout ce que la sorcière racontait. En fait, ils n'avaient guère le choix, car jamais les prédictions de Médessa ne furent contredites par les faits. Sauf une : la dernière !

—Et quelle fut cette prédiction ?

—Je l'ignore, car personne n'y a survécu pour la raconter.

—Pourquoi m'as-tu amené ici ? Est-ce que la Médessa était l'ennemie dont tu parlais en racontant que la riche cité de Pandora périt par l'action du plus imprévisible de ses ennemis ?

Caresse eut un petit ricanement de plaisir.

—Je ne vous ai pas choisi comme maître pour rien, fit la bête avec satisfaction. Je constate, malgré votre jeune âge, que vous n'êtes pas dépourvu des lumières de l'esprit qui manquent à tant de vos semblables. En effet ! Médessa est, de par sa nature, un être perfide et destructeur. C'est elle qui entraîna le peuple pandoranien vers sa destruction finale. Mais les gens de ce royaume l'ignoraient. L'eussent-ils su qu'ils se seraient épargnés une bien triste fin.

—Tu parles d'elle et de lui indistinctement. Et tu as dit « est » au lieu de «était» en parlant de la sorcière. J'ai du mal à te suivre. Qui était Médessa ?

La Chienne fixa Milan un long moment.

—Ne restons pas ici ! dit-elle finalement. Ce tumulus est maudit ! Je crois qu'il est temps que vous en appreniez un peu plus sur l'ennemi auquel vous serez bientôt confronté.

—Mon ennemi ! Mais n'est-ce pas le comte Gustave ?

—Précisément ! Mais je doute que vous sachiez toute la vérité en ce qui le concerne. Partons vite. Ici n'est pas l'endroit où parler de ces choses.

Ils retournèrent sur les rives du lac Émeraude, en tirèrent trois carpes qu'ils se partagèrent. À la fin du repas, Milan posa sur son ami un regard interrogateur..

—Alors, Caresse, me diras-tu enfin ce que j'ignore et que je devrais savoir concernant le comte Gustave ?

—Il me faut d'abord répondre aux deux questions que tu m'as posées alors que nous étions sur le tumulus de Médessa, commença la bête. Tu verras que, des réponses que je te fournirai, découleront bien d'autres questions pour lesquelles je n'ai, hélas, pas de réponses… En ce qui a trait à l'emploi du « *Il* » ou du « *Elle* », il ne faut pas t'en formaliser. À l'instar de bien des bêtes légendaires, Médessa possède les deux natures.

—Que veux-tu dire ?

—Comme bon nombre de bêtes légendaires, Médessa possède l'art ancien de se transformer.

—Un peu comme toi !

—Oui ! En une autre bête ou…

—… en être humain, conclut Milan.

— C'est exact ! acquiesça la Chienne. Selon les besoins du moment et les époques.

— Ainsi Médessa est encore vivante. Elle peut tout aussi bien apparaître sous la forme d'un homme ou d'une femme. À l'époque de Pandora, elle avait pris la forme humaine sous les traits d'une magicienne puissante.

— Je loue ta sagacité, petit maître ! C'est bien ça !

— Mais, à d'autres époques, elle peut prendre la forme d'une bête méprisante. Mais de quelle bête fantastique parlons-nous, ma chère Caresse ? Et quel lien entretient-elle avec le comte Gustave ? A-t-elle quelque chose à voir avec l'enlèvement de la princesse Mélodie ? S'en est-il pris au roi lui-même ? Aurai-je à l'affronter ? Et si oui, comment la combattre ? A-t-elle un point faible ? Est-il…

— Doucement, mon jeune maître ! Je vous avais averti que de mes réponses surgiraient moult questions pour lesquelles les réponses n'existent pas. Néanmoins, pour quelques-unes, j'ai certains éclaircissements qu'il serait sage d'écouter. Ainsi, me demandez-vous, pourquoi avoir fait usage du mot « est » plutôt que « était » quand je te parlais de Médessa ? Eh bien voici, je t'ai dit que Médessa, ou plutôt, la légende qui l'entoure, prétend qu'elle est éternelle, ou tout au moins qu'elle tire ses origines du début des temps de ce monde. Ceci est tout à fait exact. Médessa, comme tous les dragons…

— Médessa est un dragon ?

— En effet ! Et le pire de tous : Médessa et le Dragon Blanc ne sont qu'une seule et même personne. Et comme tous ses congénères, noirs ou blancs, elle fut créée aux premiers temps de l'univers. Mais commençons par le début de l'histoire. La *Grande Force*…

— *La Grande Force* ?

— Les dieux, si tu préfères ! Ainsi que je te l'ai dit, la *Grande Force*, qui mit le monde en mouvement, le dota de deux pouvoirs contradictoires : le Bien et le Mal. Et il chargea les dragons de leur propagation sur toute la surface de la Terre.

— Les noirs dotés des pouvoirs de propager le Bien, et les blancs ceux de répandre le Mal.

— La chose est beaucoup plus subtile et complexe, mais disons que c'est grosso modo un peu de cette façon que le partage fut fait.

— Ainsi, toi, Caresse, dragon noir, tu es le bon, et Médessa, elle ou il, c'est selon, c'est la brute !

— Le raccourci est un brin exagéré, mais tu y es.

— Il y a une chose qui m'étonne, enfin, un détail que je ne saisis pas bien. Comment la race des dragons a-t-elle pu disparaître, alors qu'elle était éternelle ?

— Tu confonds éternité et immortalité. Nous avons été créés éternels, c'est-à-dire doués de la capacité de vivre de tout temps. Mais on ne nous a pas épargné la douleur de la mort pour autant. On peut être éternel, c'est-à-dire doué de la capacité d'étirer sa vie à jamais, et mortel tout à la fois. Cette éternité peut être tranchée par un coup fatal qui nous serait porté, ou par le hasard d'un combat, un accident toujours possible ou la maladie. Pour les Hommes, l'affaire est plus simple encore, car ils sont nés mortels. C'est du moins le choix qu'a fait la race humaine au moment de son apparition en ce monde. Et ce fut sage.

— Que veux-tu dire ?

— En donnant une mesure à la vie, l'homme lui a aussi donné toute son importance. C'est parce que vous savez que vous allez mourir quoi que vous fassiez que vous avez le devoir de créer ce qui viendra après vous. Oui, je dois le dire, toutes les créatures du premier de ces mondes ont envié la sagesse des Hommes, il y a longtemps. Depuis, l'homme s'est corrompu, mais n'en est-il pas ainsi de tout être vivant ? Nul ne peut lui tenir rigueur de posséder aussi son côté sombre.

— Oui ! Je crois que je comprends.

—Mon ami, si vous comprenez ne serait-ce qu'en partie ce que je viens de vous dire, c'est qu'il est temps que vous sachiez ce que je cherche à vous faire comprendre depuis le commencement : Médessa, le Dragon Blanc et le comte Gustave ne font qu'un ! Devant vous se dresse le plus terrifiant de tous les obstacles : le Mal absolu, le Mal à son état brut. Et c'est lui que vous devrez vaincre... Un Mal qui, en raison de sa nature, peut prendre différentes formes, tant humaines qu'animales. Et l'une d'elles ne vous est pas inconnue, mon jeune maître, puisque vous avez été une des rares personnes de ce monde à l'avoir saluée avec courtoisie.

—Dame Jacquemère ?

—Dame Jacquemère, oui ! Elle n'est nulle autre que la magicienne Médessa. Elle n'a jamais pu s'attaquer à vous parce qu'elle savait qu'elle me trouverait sur son chemin. Quand le pays de Pandora fut détruit, on n'entendit plus jamais parler de la magicienne. Elle semblait avoir disparu de la surface de la Terre.

Il n'en était rien. Elle allait d'un monde à l'autre, cherchant une nouvelle proie. Elle la trouva après de longues années d'errance. Il faut que vous sachiez, jeune maître, que le mal attire le Mal. Il le cherche. Renifle à mille lieues la tristesse et le désespoir quand ils s'acharnent dans un coin de ce monde. Quand Médessa vit le malheur s'abattre sur les épaules du pauvre roi de Jardinlieu, elle sut que son heure était venue.

Elle s'insinua dans le royaume sous les apparences d'une vieille marchande d'herbes médicinales. Sous ces traits insolites, elle allait et venait sans trop attirer l'attention. Elle chercha longtemps un allié qui fût proche du roi. Finalement, elle le trouva.

Le comte Gustave était déjà un être vil et ambitieux. Il ne fut pas difficile pour la sorcière de s'approprier l'âme dissolue du serviteur du roi. Il se laissa envahir, je dirais presque dans la joie. Depuis, c'est l'esprit du Dragon Blanc qui habite le corps du comte Gustave.

Souvenez-vous, jeune maître, du jour où le roi Jardinlieu fut chassé du pays d'Ailleurs par le comte Gustave. Souvenez-vous du regard que vous jeta la mégère depuis sa cachette, sous la loggia. Elle disparut ensuite par une ruelle étroite et vous ne la revîtes plus. C'est à ce même moment que vous aperçûtes le comte Gustave à la plus haute fenêtre de la grande tour du palais. Vous rappelez-vous le feu qui se dégageait de ses yeux posés sur vous ? Le Dragon Blanc venait de découvrir l'ennemi qu'il devrait tôt ou tard affronter : vous ! Mais les dragons ne peuvent se mêler aux affaires des hommes. Aussi, le Dragon Blanc n'apparaîtrait-il désormais que sous des traits humains.

— Ainsi le comte Gustave, la commère Jacquemère et le Dragon Blanc ne forment qu'une seule et même entité. Ils ont atteint une puissance que nous pouvons à peine imaginer. Et c'est ce monstre que tu me demandes de combattre ?

— Si je pouvais vous épargner cette lourde tâche, je le ferais. Un grand désordre s'est installé dans ce monde et vous seul êtes en mesure d'en rétablir l'équilibre. C'est la voie que vous avez vous-même choisie en vous opposant ouvertement au comte Gustave. Mais vous ne combattez pas en solitaire ; toute la race humaine vous soutient.

— La race humaine ! murmura Milan au milieu d'un sourire triste comme la mort. Elle ne sait même pas que j'existe.

20

La Tour de Cristal

LES DERNIÈRES RÉVÉLATIONS de son amie avaient jeté Milan dans les affres d'une peur effroyable. Caresse laissa son jeune maître errer seul et désemparé le reste de la journée. Elle le suivait simplement sans oser intervenir.

Ce soir-là, Milan mangea sans grand appétit. Il se reposa malgré lui, car les rats avaient mêlé à l'hydromel une partie de poudre d'anémone qui induit si bien au repos du corps et de l'esprit. Bien qu'ils ne fussent pas de la race des hommes, les rats connaissaient la dose qui leur convenait.

Combien de temps il dormit ? Cela, Milan n'en sut jamais rien. Mais plus d'une nuit, et plus d'un jour, ça c'est certain. Et durant tout le temps que cela dura, Caresse veilla sur son sommeil.

Les rêves qu'il fit entraînèrent notre jeune héros en d'étranges contrées où lui furent révélés les grands arcanes de ce monde. Ce voyage ne fut pas simple et le sommeil ne fut certes pas reposant.

Longtemps après son départ, il se retrouva perché sur une haute Tour de Cristal, elle-même piquée sur une montagne enneigée dont seul le sommet émergeait des nuages. Milan porta son attention sur l'intérieur.

Il n'y avait rien : aucun mobilier, aucune tenture, aucune chaise ou tabouret, même pas de plancher ni d'escalier. L'intérieur de la tour semblait s'enfoncer dans les profondeurs de la montagne qui la soutenait. Milan avait tout de même de la difficulté à bien voir à l'intérieur, car, quoique le verre dont était constituée la tour fût d'une grande pureté et presque parfaitement translucide, son épaisseur inégale déformait la vision et la rendait trouble.

Il recula de deux pas et découvrit une chose exceptionnelle : toute cette tour, depuis la base jusqu'à son sommet, n'était rien de moins qu'une gigantesque statue représentant une dame couronnée, vêtue d'une longue tunique transparente dont les plis expliquaient la différence perceptible dans l'épaisseur du verre.

Milan s'avança et tendit le bras pour caresser le mur translucide. Son étonnement décupla quand il constata que ce mur n'offrait aucune résistance. Il n'eut qu'un pas à faire pour franchir le mur et se retrouver à l'intérieur de la tour.

Milan fut alors mis en présence d'un vieillard tout de blanc vêtu. Ce dernier lui tournait le dos. Il était assis à une grande table de marbre blanc, sur un large fauteuil de verre translucide.

Il était absorbé dans la lecture d'un grimoire aux enluminures écarlates et nimbées d'or. S'en échappaient des lettres magnifiquement tracées qui formaient des mots, puis des phrases qui flottaient dans l'air tout autour du crâne lisse du vieillard. Parfois l'homme, d'un geste vif, en attrapait une au vol et la plaçait dans son livre. Puis il continuait sa lecture sans se soucier d'être observé par Milan.

— Bienvenue dans la tour d'Andramos, mon garçon ! Vous avez atteint le bout du bout du monde, là où plus rien n'a de sens, fit le vieil homme sans prendre la peine de regarder Milan. Il continuait à cueillir les mots qui passaient à portée de son bras.

— Voilà des siècles que j'y suis et je n'ai pas encore réussi à remettre de l'ordre dans un seul de ces manuscrits. (D'un geste las, l'homme désigna le mur du fond où s'alignaient des milliers et des milliers de volumes aux pages écornées et aux couvertures défaites.) Alors, mon jeune ami, que viens-tu faire dans ce monde oublié des hommes et des dieux ?

Milan ne répondit rien. L'homme bougea à cet instant et se tourna vers lui. De son long vêtement émergeait une tête difforme sans nez ni oreilles et, quand il parlait, on ne voyait bouger aucune lèvre, comme si elles n'existaient pas. La tête était rattachée par un cou gracile à des épaules osseuses d'où s'échappaient de longs bras maigres terminés par des doigts minuscules.

Malgré toutes ces imperfections, on n'avait pas l'impression d'être en présence d'un être monstrueux. Sans doute, la laideur de ses traits était-elle atténuée par la voix qui était douce et bienveillante.

— Puis-je savoir qui vous êtes ? se décida à demander un Milan fort troublé.

— Tu veux connaître mon nom, c'est bien ça ? murmura le vieil homme en retournant à sa lecture.

Ce fut tout. Le silence s'installa, profond et calme. L'homme sombra à nouveau dans la même contemplation extatique dans laquelle l'avait trouvé Milan au tout début.

L'homme ne bougeait pas. Par moments, d'une main fatiguée, il cueillait une phrase qui flottait autour de sa tête, la collait dans le vieux grimoire puis il reprenait sa lecture sans rien dire. C'est comme si Milan avait disparu de sa mémoire. Il en fut ainsi de longues et interminables heures, ou jours, ou mois ou années peut-être, tant l'attente parut interminable.

— Voilà une bien singulière question, répondit-il finalement. Mon nom, je l'ignore.

Quelle est l'importance d'avoir un nom quand on est seul ? Je vous le demande.

À nouveau, il tourna le visage vers Milan.

— Mais, mon garçon, je suis certain que tu n'as pas fait tout ce voyage dans le seul but de me demander mon nom.

— En fait, je suis ici pour qu'on m'enseigne la différence qu'il y a entre le Bien et le Mal et aussi pour savoir comment rétablir l'équilibre dans ce monde.

Un grand éclat de rire accueillit la demande de Milan, mais le vieil homme ne lui répondit pas. Et pendant un laps de temps indéfini, il retourna à sa lecture sans plus faire entendre le son de sa voix. Bien longtemps plus tard, il reprit le cours de la conversation à l'endroit exact où il l'avait abandonnée.

— Ah ! Oui, bien sûr. Le Bien et le Mal. Une très sérieuse question pour un petit humain. Chez vous, le Bien et le Mal ont pris une importance capitale...

L'homme pointa un coffre d'environ cinquante centimètres de côté par trente de hauteur. Il était ouvert et vide.

— Voici ce qui reste du Mal. Un coffre vide ! Son contenu a été répandu sur le monde, précipitant celui-ci dans le chaos. Quant au Bien, nous ne savons pas où se trouve le coffre ni qui l'a en sa possession, bien que sur ce dernier point nous ayons une petite idée.

—Qui ? s'empressa de demander Milan.

—Ils avaient été confiés aux Hommes, continua l'étrange personnage sans se soucier de fournir de réponse à la dernière question de Milan. Il était inévitable qu'une catastrophe survienne dès lors qu'on laissait pareil parangon sous la tutelle de semblables histrions bien trop immatures pour s'acquitter d'une telle tâche.

Le vieillard sans visage s'arrêta de parler. D'un geste lest, il attrapa une phrase qu'il coucha dans le vieux grimoire en laissant percer un long crachotement de satisfaction.

—Voilà une bien triste affaire, reprit-il ensuite tout en poursuivant sa lecture. Triste et assez ennuyeuse, je dois dire. Enfin, ennuyeuse pour vous, les Hommes. Tout votre système de valeurs est bâti sur le postulat de la victoire du Bien sur le Mal.

—Nous ? Je croyais… Je veux dire… Enfin, n'avez–vous pas dit que vous étiez seul ici ?

—Nous, vous, ils, quelle importance ? lança le vieillard d'une voix irritée. Ce n'est que de la conjugaison. Sache, petit humain, qu'il n'y a aucune différence entre le Bien et le Mal, acheva d'expliquer le vieil homme qui venait d'attraper un mot qui passait à portée de son long bras osseux. Le silence s'installa encore et semblait vouloir s'étirer un fort long moment. Mais cette fois Milan n'entendait pas attendre un autre siècle.

— Monsieur, je sais qu'il y a une différence entre le Bien et le Mal. Je sais aussi qu'il y a un Bien suprême vers lequel tout homme honnête doit tendre et un Mal absolu qu'il faut éradiquer de ce monde. Je le sais de source sûre. Et je sais que vous connaissez la manière de rétablir l'équilibre dans ce monde.

Bien qu'il y eût mis le ton, les paroles de Milan roulèrent sur les murs de la Tour de Cristal sans atteindre les oreilles du vieillard qui continuait sa futile lecture.

— J'ai mis ma vie en balance dans ce combat. Je sais que vous savez de quoi je parle. Et j'ai le sentiment d'avoir le droit d'exiger de vous une réponse à ma question. Quel est ce Mal absolu que je dois combattre ? Qui sera mon ennemi et où se dérouleront les hostilités ?

Pour seule réponse, le vieil homme tendit le bras et attrapa au passage une nouvelle phrase qui semblait lui tenir particulièrement à cœur.

— Ah ! Te voilà, ma belle ! dit-il. Depuis le temps que je te cherchais !

D'une main avide, il plaça les mots de la phrase au milieu d'une page qu'il s'empressa de tourner sans doute pour que sa prise ne lui échappât point. Milan était désespéré par l'attitude désinvolte du vieillard.

— C'est un dragon noir qui me l'a dit, insista-t-il. C'est lui qui m'a avoué qu'il existait un Mal absolu, un Mal si terrifiant…

Le vieillard détourna la tête aussitôt que le mot « dragon » fut prononcé.

Il se leva. Milan remarqua alors que l'homme portait à son ceinturon trois grosses fioles. Étrange ornementation, en vérité. Elles étaient grossièrement retenues entre elles par un cordon de chanvre tressé. Peintes de couleurs délavées, elles étaient aussi marquées de trois barres, obliques pour l'une, horizontales pour la seconde, puis verticales pour la troisième. L'homme bougea à peine, mais assez pour que s'entrechoquent les trois fioles dans un tintement mat.

— Les dragons ont disparu, fit l'homme d'une voix d'où ne perçait aucune émotion.

— J'ai peur, vieil homme, que vos informations ne soient erronées. Il est un fait que les hommes les ont exterminés… Mais deux ont survécu : un dragon noir et un blanc. Les humains ne sont pas encore les seuls dépositaires du Bien et du Mal.

— Les dépositaires du Bien et du Mal ! Fascinant ! C'est très bien ! Il n'y a qu'un dragon qui puisse vous avoir enseigné de telles choses. Il faut donc en conclure qu'un certain nombre de dragons aurait en effet échappé au carnage.

—Deux ! précisa Milan pour la seconde fois. Un noir et un blanc.

—Deux ! répéta le vieil homme. Deux ! Bien sûr, deux seulement !… C'est tout à fait impressionnant pour un gamin de votre âge.

—Puis-je savoir qui vous êtes, monsieur ?

—Qui je suis, bien sûr !

L'étrange personnage s'arrêta de parler. Tout son corps se figea comme pris d'une paralysie totale. Puis, sans crier gare, après un long temps d'immobilité, il revint à la vie. Il tourna son regard vers Milan et lui adressa un large sourire.

—Je suis Merkhur, le Gardien de la grande Tour de Cristal.

—Et vous gardez quoi ?

—Je suis le Gardien des temps : présent, passé et avenir. Rares sont les voyageurs qui s'arrêtent ici et ce n'est jamais de leur propre chef. Chacun, dans le monde extérieur, cherche sa vérité. La plupart croient la trouver dans de petits compromis qui les satisfont. Mais d'autres, rarissimes ceux-là, refusent ces demi-vérités, les faux-semblants, les approximations. Et pour je ne sais quelle raison, ils finissent toujours par aboutir ici. Rarement suis-je en mesure de les aider dans leur quête. Je suis alors enclin à penser que d'autres lieux, plus féconds que celui-ci, existent, capables de les guider. Oh ! en de rares occasions, il est vrai, je crois ne pas avoir besoin de plus d'une main pour les énumérer, il m'est arrivé de combler leur attente. Ces moments bénis sont si rares qu'ils ne parviennent pas à me convaincre de l'utilité d'un endroit comme celui-ci. Pourtant… Pourtant !

La voix lancinante de son hôte s'éteignit dans l'éclat faiblissant du soleil qui se couchait derrière les montagnes. L'homme sans visage disparut et Milan se retrouva seul au milieu de la tour. La grande table sur laquelle l'homme travaillait s'était évaporée, la bibliothèque avec tous ses parchemins enluminés aussi. Ne restait que le grimoire qui flottait dans l'espace. Il était auréolé d'un éclat doré qui semblait jaillir de ses pages. L'aura de lumière grandit, s'intensifia au point d'éclairer toute la salle d'une lumière aveuglante. Le livre vibra comme si des mains géantes l'agitaient en tous sens. Finalement, il s'ouvrit avec fracas au moment précis où Milan le toucha du bout des doigts. Notre jeune héros fut projeté contre un mur de verre. Le plancher sur lequel Milan se tenait se déroba et il tomba dans le puits sans fond duquel émergeait la Tour de Cristal.

La chute parut interminable. Quand elle s'acheva enfin, Milan émergea d'un sommeil sans repos. Il était nu, en sueur, assis dans son lit, tout entortillé dans ses couvertures. C'est son cri qui l'avait réveillé. Il avait dû l'émettre avec force, car Caresse, qui dormait à ses pieds, était à présent debout et le fixait avec étonne-ment.

Troisième partie

L'affrontement final

21

Le vieux grimoire

L'ÉVEIL DE MILAN, ce matin-là, avait semé la consternation dans toute la grande maison. Ses parents s'étaient retrouvés dans sa chambre, craignant qu'un mal soudain ne se fût emparé de leur fils. Ils furent soulagés qu'il n'en fût rien. Mais tout de même, Marjorie fut secouée de le trouver si pâle, le regard encore agrandi par une peur qui ne s'estompait que trop lentement à son goût. Quant à Horace, il préféra rendre responsable le repas de la veille trop lourd pour l'estomac encore fragile de son fils. Il ordonna à Milan de rester couché et d'essayer de prendre quelques heures de repos supplémentaires.

— Et il ne serait pas défendu d'en faire autant, ma chère ! conclut-il en embrassant sa femme sur la joue. Vous êtes plus blême que notre brave Milan.

Milan ne se rendormit pas. Il lui fallut beaucoup de temps pour reprendre contact avec la réalité. Le rêve qu'il venait de faire lui avait paru si réel qu'il dut se résoudre à prendre trois douches froides pour s'en remettre. Et encore !

Le lendemain, il était encore sous le coup de ses émotions quand il se mit en marche vers sa nouvelle école.

Chemin faisant, il vit tout de suite que quelque chose n'allait pas. En fait, rien ne clochait vraiment ; disons qu'il avait l'étrange impression d'être placé devant un film qu'il avait déjà vu et dont il aurait pu prévoir toutes les séquences. Comme s'il vivait sa propre existence une deuxième fois.

Il arriva à l'école avec plus de trente minutes de retard.

Comme il l'avait prévu, la grosse bonne femme de directrice à chignon, le nasique à lunettes, le chef prétendu des monstres de cette école publique de merde à laquelle ses parents l'avaient inscrit la veille, l'attendait devant la porte.

La veille, oui, c'est ça, la veille ! La veille, il s'était fait mettre à la porte de l'école... De quelle école déjà ? Ah oui, sœur Nicoline ! Cette vieille savate qui sentait les boules à mites ! Elle le paierait cher, comme tous les autres d'ailleurs.

Sur ces entrefaites, il venait d'arriver à sa nouvelle école. La directrice était là, debout devant la porte, qui l'attendait. Elle paraissait en colère. Milan avait espéré qu'elle se serait déchaînée contre lui, pour que le monde reprenne son endroit. Mais une voix intérieure lui murmura qu'elle n'en ferait rien. Et c'est exactement ce qui arriva. Plutôt que de l'abreuver de reproches et d'insultes, elle l'avait conduit avec gentillesse dans sa nouvelle classe.

Il s'était assis au fond du local comme c'était son habitude. Mélodie lui avait décoché un petit sourire auquel il avait répondu avec méchanceté.

— Qu'est-ce que tu veux, la négresse ? Ma photo peut-être ?

Dame Jacques, sa nouvelle enseignante, l'avait fait s'envoler en dehors de la classe. Il avait reçu une sévère correction de la part de l'immense frère de Mélodie, le mal nommé Dieudonné. Et puis, par la fenêtre, une heure plus tard, il avait revu une grosse chienne noire magnifique, mal peignée et toute sale. Il en était tombé aussitôt amoureux.

Puis les jours s'étaient écoulés avec une lenteur désespérante comme un sirop épais qu'on aurait versé sur un bloc de glace. Le mercredi suivant, ses parents lui avaient annoncé qu'ils passeraient Noël sans lui, à Bora Bora. Il leur en avait terriblement voulu sans oser le leur avouer. Il avait cherché sur Internet la recette de fabrication de la bombe artisanale qu'il destinait à la grand-mère maternelle comme cadeau de Noël. N'avait rien trouvé.

À l'école, c'était le scénario habituel : bagarres, humiliations, petites vengeances, suivies de retenue et de punitions diverses. La chienne qu'il avait prise en affection s'était entichée non pas de lui mais de la né... de Mélodie. Mais étrangement, son sentiment pour la jeune fille s'était lentement transformé. Celle dernière ne s'était pas révélée idiote pour deux sous, mais brillante et gentille et belle, et tout et tout. Milan en était tombé amoureux. Il avait même trouvé beaux et gentils et brillants sa mère et sa grand-mère et son immense frère Dieudonné avec qui il partageait désormais l'essentiel de ses retenues.

Un soir, il avait suivi Mélodie jusque chez elle. Et c'est là que tout avait dégénéré en catastrophe appréhendée. Il y avait eu l'arrivée intempestive du terrifiant Gustave ! Puis cette conversation incroyable avec son père au sujet de l'amour, de la peur. L'abandon du voyage à Bora Bora et tant d'autres événements inattendus.

Et puis ces voix, ces étranges voix, pareilles aux sons produits par des milliers de clochettes qu'il entendait le soir avant de s'endormir. Cette impression désagréable encore que le monde n'avait pas toujours la même densité ni la même consistance, comme si deux univers se confondaient en un seul, mêlant leurs paysages, leur lumière, leur réalité. Cette ombre aussi qu'il sentait planer au-dessus de lui la nuit, une ombre bienveillante, mais mystérieuse. Et puis, ces rêves qui se renouvelaient et qui le terrifiaient, cette impression sourde d'un geste à accomplir ; plus qu'un geste, une action, une quête, un combat à mener. L'urgence enfin ! Ce terrifiant sentiment d'urgence qui l'animait et lui faisait parfois poser des gestes incompréhensibles.

Mais surtout, il y avait eu ce livre, ce vieux grimoire qu'il avait découvert par hasard le dernier samedi de novembre. Un livre étrange, à la couverture remplie de signes incongrus et aux pages à moitié écrites avec de grands espaces vides comme si on avait délibérément omis d'y inscrire un texte complet. C'était écrit dans une langue absconse où se mêlaient quelques mots d'ancien français à d'autres aux accents étrangers : allemands, grecs, arabes et même chinois. Il y avait aussi de jolies gravures représentant des paysages rupestres, des châteaux, certaines cités, et cette autre plutôt bien réussie d'une tour de verre coiffant le sommet enneigé d'une très haute montagne. On y trouvait des dessins représentant des animaux fabuleux et des êtres fantasques, diablotins, trolls, djinns, fées et farfadets. Et ces deux énigmatiques créatures, ces deux majestueux dragons, un noir et un blanc, semblant protéger chacun une cassette d'or portant un signe cabalistique dont la signification échappait à Milan.

Il avait trouvé le livre sur un monticule de vieux papiers dans une maison bancale et toute déglinguée qui abritait autrefois une librairie. L'endroit était mal barricadé, si bien qu'il était très facile d'y pénétrer.

Milan venait souvent y passer ses heures creuses, durant les fins de semaine ou au retour de l'école. Le lieu était abandonné depuis des années, livré aux rats et aux vents. Ça puait le moisi et la vieille pisse. Les tablettes avaient été arrachées des murs et pendaient de guingois. Ce qui avait dû servir de comptoir à l'époque du dernier propriétaire avait été éventré, les vitres fracassées. Quelques vieilles revues, faisant sans doute partie de l'inventaire d'invendus, avaient fini par jaunir et s'étaient incrustées au plancher comme de vieilles galles noircies. Les fenêtres étaient béantes comme des yeux d'aveugle.

Chaque fois que Milan s'y retrouvait seul, il ressentait une émotion ambiguë, oscillant entre la fascination et l'effroi. Ce lieu semblait habité par le diable, mais en même temps protégé par un ange invisible qui veillait sur les murs anciens comme une mère sur son fils malade. Milan se disait que l'enfer devait sentir ce que sentait cet endroit. Mais quand il faisait clair et que les rayons du soleil pénétraient en larges faisceaux par les fenêtres aveugles, il se mettait à croire que ce lieu devait être le seuil du paradis.

Lors de ses multiples expéditions entre les murs pourris de cette vénérable librairie, Milan n'avait jamais rien trouvé qui puisse avoir quelque valeur. Et il aurait pu jurer sur sa propre tête, tête à laquelle il tenait comme à la prunelle de ses yeux, que jamais ce grimoire n'avait fait partie du patrimoine abandonné en ces lieux. Alors que faisait-il ici, ce samedi-là, au milieu des gravats, sur une pile de vieux journaux ? Voilà un mystère qui ne cessait de le troubler.

Il s'était saisi de ce grimoire, l'avait flanqué au fond de son sac à dos puis avait passé le reste de la fin de semaine à le compulser. Nous étions le dernier samedi de novembre, le 29 pour être exact.

Les jours suivants, Milan avait consacré toutes ses heures de loisir à chercher un sens aux pages du grimoire. Nenni. Le vendredi suivant, il avait fait appeler Glutamine, la femme de chambre, pour qu'elle informât l'école qu'il serait absent pour la journée, qu'il avait la chiasse et la fièvre et un gros mal de caboche et la toux et tout le fourbi. Ce qui n'était pas vrai, bien sûr, mais pas tout à fait faux non plus.

En effet, la lecture de ce livre le remplissait d'un malaise certain qu'il ressentait jusqu'au milieu de ses chairs. Il tournait et retournait cent fois les pages, cherchant à décrypter ce qu'il voyait. Si ce livre contenait un sens quelconque, il était si bien caché qu'il échappait à toute analyse. Mais ce qui était encore plus étrange, c'est que Milan avait la certitude que le texte inscrit dans ces pages bougeait, se transformait par le simple fait de tourner les pages dans un sens ou dans un autre. Des mots apparaissaient puis disparaissaient, des bouts de phrases changeaient de place, se mêlaient à d'autres bouts de phrases. C'était à n'y rien comprendre. À bout de patience, il avait refermé le livre et l'avait abandonné sur sa table de travail. Il était plus de dix heures ce vendredi soir-là. Nous étions le vendredi 5 décembre.

Il alla s'étendre sur son lit, les bras repliés sous sa tête, certain qu'il ne parviendrait à rien. Malgré la fatigue et un certain découragement, il ne parvenait pas à décoller son regard du vieux grimoire. Il resta un long moment à fixer le livre. Puis quelque chose se passa.

Sans doute agité par une poussée de vent que Milan n'avait pas sentie passer, le livre venait de s'ouvrir avec fracas au milieu de la table. Il s'en dégageait de longues volutes de fumée et une lumière si brillante que Milan fut incapable d'en soutenir la vision. Des spectres s'en échappaient écrivant dans l'espace bleuté de la chambre des mots incandescents que Milan se mit à lire.

Les mots pris à l'unité ne signifiaient rien. Ce n'était qu'imbroglio de lettres sans aucune densité. Ils voltigeaient les uns à la suite des autres, émanant d'une page ou d'une autre et flottant, comme ça, dans un grésillement de flammèches comme si chacune des lettres engendrant ces mots insensés était en feu. Mais tout incompréhensibles qu'ils fussent, les mots formaient une phrase que Milan tenta de lire.

« *Liem san et pasérent et seuls oit lilem san rassura bésduquer al écliuq gelèr el tems.* »

Subjugué par la magie du moment, Milan fut incapable de bouger. Son cerveau lisait presque sans rien voir ce que les mânes du vieux grimoire s'acharnaient à tracer devant ses yeux. Sur son pupitre, un de ses stylos s'échappa d'un gobelet et se mit à courir frénétiquement sur une feuille de papier, traçant les mots qui voltigeaient dans l'espace brumeux de la chambre.

D'autres mots s'ajoutèrent aux autres, allongeant l'incompréhensible message.

« *El comto Gustavio, nenni aqi, nenni aillores, nenni presiatamente, multo temporo a multi spatia !* »

Puis, d'un seul coup, tout se consuma. Les mots disparurent et l'air n'en conserva qu'un filet de fumée blanche qui flotta quelques secondes. Le vieux grimoire se referma. Le stylo sur le papier cessa de glisser. Ne restèrent de cet instant magique que les mots noircis sur la feuille blanche. Un charabia incompréhensible sur lequel se pencha Milan. Il chercha pendant des heures à y trouver un sens sans y parvenir. Pris d'épuisement autant que de lassitude, il s'abandonna au sommeil.

Il s'éveilla le jour suivant dans une forme resplendissante. Il avait eu une nuit calme et sans rêve, ce qui n'était pas habituel. Il s'était réveillé dans la même position où il s'était endormi. C'était d'autant plus reposant que nous étions un samedi et qu'il n'y avait pas de cours.

Milan se leva et se dirigea vers la fenêtre. Une première neige était tombée durant la nuit. Peu, à vrai dire, mais suffisamment pour couvrir les parterres. Les arbres étaient enneigés comme sur des cartes de Noël et un soleil somptueux les faisait briller de mille éclats. La vue du jardin était magnifique.

On frappa à la porte. C'était son père qui venait l'avertir que le déjeuner était servi. C'est lui qui l'avait préparé, une délicatesse très rare que Milan apprécia. Il flottait, dans l'air de la salle à manger, une odeur de toasts et d'œufs brûlés, le café était fade, le bacon trop mou. Mais c'était le meilleur petit-déjeuner que Milan n'avait pas pris depuis longtemps.

C'est ce matin-là que son père et sa mère lui avaient annoncé qu'ils ne partaient plus pour Bora Bora. Ils avaient plutôt réservé un chalet à Morin Heights afin d'y passer les deux semaines de vacances. Cette décision suivait de peu la rencontre qu'ils avaient eue avec la directrice de l'école Saint-Christophe. Secrètement, Milan en sut gré à cette monstrueuse et étrange bonne femme.

— Est-ce que je pourrais inviter des amis ? avait demandé Milan, surexcité par la perspective de passer un véritable Noël en famille.

Horace et Marjorie faillirent s'étouffer en entendant la demande de leur fils. C'était bien la première fois que Milan avouait avoir des amis à leur présenter. Et qu'il veuille leur faire partager son intimité était si nouveau, si imprévisible, qu'il leur fallut toute l'heure suivante pour se remettre de leur étonnement.

— Qui sont ces gens ? avait demandé sa mère en le fixant avec des yeux exorbités.

— Mélodie et Dieudonné de Jardinlieu, claironna Milan d'un air enjoué.

— Dieu du ciel ! s'étrangla Majorie. Les de Jardinlieu ! Horace, époux très cher, ces gens ont une particule. N'est-ce pas incroyable ? Des nobles ! Ces gens sont de la noblesse.

La mère, la tête appuyée sur ses longues mains entrecroisées, regarda Milan.

— Français ? Belges ? Suisses ?

— Non ! Mieux que ça, maman ! Haïtiens !

Cette fois, le regard de Marjorie se rembrunit. Pour la seconde fois, elle posa un regard déconcerté sur son époux.

— Horace, très cher ! Eûtes-vous jamais connaissance de gens de la noblesse installés dans les Caraïbes ?

— Marjorie, on se fout qu'ils soient nobles ou pas. Ce sont les amis de Milan. Cela me suffit… Bien sûr, Milan, tu pourras les inviter. Mais pas pour Noël ni le jour de l'An. J'ai d'autres projets qui, je crois, seront très intéressants. Mais les autres jours, je ne dis pas non. À condition que ta mère, bien sûr, donne son accord ainsi que les parents de tes amis.

— Bien sûr, que je suis d'accord, gloussa la mère. Ce sera follement amusant !

La conversation s'arrêta sur ces paroles. Un bruit venait de se faire entendre dans la chambre de Milan. Un bruit si faible que notre jeune héros fut le seul à le remarquer.

22

Un chien qui parle

— ÇA Y EST ! ne cessait de se lamenter Milan, les deux mains accrochées à son pupitre de chêne blanchi, le regard braqué sur la fenêtre grande ouverte de sa chambre. J'ai perdu l'esprit ! Je suis devenu fou ! La sœur Nicoline avait raison : j'ai le cerveau comme un pot de confiture.

— Mais non, mon jeune maître ! Vous n'avez pas perdu l'esprit. C'est moi, Caresse !

— Un oiseau ! Un oiseau qui parle ! Un volatile qui m'appelle par mon nom ! De quoi me faire enfermer comme fou dangereux !

— Je vous ai déjà connu plus alerte, mon ami. Il fut une époque où entendre parler les bêtes ne vous posait aucun problème. Il faudra vous y faire. Et plutôt très vite que trop tard, si vous voulez mon avis.

— Justement, je n'en veux pas, de ton avis ! Fous le camp, sale bête ! rugit Milan en serrant les dents afin d'étouffer sa voix. Je ne te connais pas. Je ne t'ai jamais vue.

— Connais pas ? Jamais vue ? C'est quoi ça ? Mais enfin…

— Milan ? Ça va ? lança Marjorie depuis le bas du grand escalier.

— Mais enfin, c'est moi, Caresse ! crachota l'oiseau.

— Chutttttt ! Tais-toi !… Oui, maman ! Ça va très bien !

— Tu parles avec qui, ma petite perle des mers boréales ?

— Euh ! Avec personne. Je répète mon texte pour mon exposé oral de mardi prochain.

— Bon ! Alors, très bien. Ton père et moi avons quelques achats à faire. Nous ne serons pas trop longs.

— Prenez tout votre temps, surtout ! insista Milan qui essayait de rester assis au sommet des trois coussins sous lesquels il avait enseveli le pauvre oiseau qui se débattait comme un diable dans l'eau bénite. Les ailes en balade dans l'espace pour se libérer, la pauvre bête fit tomber un bibelot qui traînait sur la table de chevet.

— Tu es certain, mon petit sucre d'orge, que tout va bien ? J'ai cru entendre…

— Ne t'inquiète pas, maman ! Tout va très bien, je t'assure ! Milan adressa à l'oiseau un geste de menace non équivoque sur ses intentions à son égard si l'envie prenait à la bête d'émettre le moindre son. J'ai simplement fait tomber le réveille-matin du bureau en faisant un grand geste.

—Bien ! À tantôt, dans ce cas ! Et n'étudie pas trop. Tu sais que tu peux compter sur Glutamine pour tes travaux scolaires.

—Ça va, maman. J'assume très bien.

Milan se précipita vers la table et il ramassa le bibelot renversé par l'oiseau affolé.

—En mille miettes ! bougonna-t-il.

—Je m'excuse, mon jeune maître ! Je n'ai pas fait…

—Rien de grave, lança Milan d'une voix presque enjouée. Un cadeau de ma grand-mère. Il y a longtemps que je voulais m'en débarrasser. J'avais fini par l'oublier… Bon, brave bête, maintenant que tu as fait ton charmant numéro, tu peux disparaitre. J'ai besoin de reprendre le contrôle de mes esprits.

—Je ne peux pas ! répondit l'oiseau qui venait de prendre la forme d'un chien que Milan reconnut aussitôt. Cette apparition l'arrêta net dans son élan de se saisir de l'oiseau.

—Caresse ? La Chienne ? Que fais-tu chez moi ?

—Je suis venu vous informer que…

—… que rien du tout ! trancha Milan d'une voix colérique. En voilà assez ! Cette comédie a assez duré. Chien ou oiseau, c'est pareil. Tu fous le camp de ma chambre ! Tu disparais !

—Je ne peux pas, mon jeune maître. Je dois absolument…

—Comment ça, sale tas de puces, tu ne peux pas ? Je te dis de foutre le camp de ma chambre. Allez ouste ! Assez vu !

—Même si je voulais partir, je ne pourrais pas.

—Et pourquoi ?

—Hier soir, vous avez ouvert le grimoire. Le livre vous a parlé.

—Je n'ai rien ouvert du tout. Il s'est ouvert tout seul. Et il ne m'a rien dit du tout parce qu'il n'y a rien à comprendre à tout ce charabia. Et moi, j'en ai ras le pompon de ces simagrées.

Milan voulut saisir la bête par la peau du cou, mais sitôt que sa main toucha la Chienne, celle-ci disparut pour ensuite réapparaître sous sa première forme, celle de cet immense oiseau noir. Milan et Caresse jouèrent comme ça à *je-t'attrape-tu-te-sauves* une bonne dizaine de minutes jusqu'à ce que notre jeune héros en vienne à la conclusion que ce n'était pas de cette façon qu'il parviendrait à se débarrasser de l'encombrante visiteuse. À bout de souffle, il s'arrêta finalement. Assis sur son lit, il fixait l'animal avec acrimonie.

—Très bien, sale bête ! Tu as gagné. Que me veux-tu ?

—Je suis venu vous parler. Je suis venu vous chercher aussi. Avez-vous oublié, mon jeune maître, que vous aviez une mission à accomplir ?

— Je ne comprends rien à ce que tu dis. Et cesse de m'appeler mon jeune maître, c'est grotesque !

— Milan, je ne suis pas votre ennemi. Je suis venu pour vous aider. Vous avez ouvert le grimoire. Vous connaissez le message qu'il renferme. Votre destin est tracé depuis longtemps. Le moment est venu de remplir votre serment.

— Je n'ai fait de promesse ni de serment à personne, s'étrangla Milan en lâchant ces mots dans un cri strident.

La chambre fut alors enveloppée d'un voile sombre. La bête s'était allongée en un grand et terrifiant dragon noir. La pièce vibra sous le poids des terribles paroles qu'émit la bête en cet instant.

— Sachez, garçon, qu'il n'est pas de plus grand serment que celui qu'on se fait à soi-même !

Sur ces mots, l'étrange animal ouvrit grand ses ailes, en couvrit toute la pièce, si bien qu'il ne resta plus un seul centimètre sous l'empire de la lumière du jour. Les mots qui, la veille, s'étaient évadés du grimoire et que le stylo avait tracés s'échappèrent de la feuille de papier qui les retenait prisonniers et se mirent à nouveau à voltiger dans l'air alourdi par le souffle de la bête. Les lettres se déplaçaient comme un nuage de moustiques après une averse. Bientôt, elles ralentirent leur course et se placèrent dans une suite dont l'ordonnancement semblait toujours aussi énigmatique. Puis, à force de s'instruire de la chose, Milan put enfin détacher, des mots ainsi formés, un sens qui jusque-là lui avait échappé : « *MILLE ANS T'EN SÉPARENT ET TOI SEUL MILAN SAURAS DÉBUSQUER LA CLÉ QUI RÈGLE LE TEMPS. LE COMTE GUSTAVE N'EST NI « ISSY » NI AILLEURS, SANS PRÉSENT NI PASSÉ, MAIS DE TOUT TEMPS CONFONDU À CE LIEU.* »

— Qu'est-ce que tout ça signifie ?

— Mon jeune maître a-t-il oublié ? demanda Caresse avec gravité. A-t-il déjà oublié ?

Milan avait en effet oublié. Il eut l'envie durement réprimée de hurler, de lancer au monde qu'il ignorait tout de ce dont parlait le dragon noir. Mais, pour une raison qui reste obscure, il préféra se taire. Quelque chose se passait dans sa caboche. Des odeurs d'eau, de vent sur sa peau, des vallées de coquelicots, des montagnes, des forêts, un château, une tour. Une tour. Une tour de verre. Un homme sans visage, puis un livre. Un livre de feu.

— Nous avons plus d'une vie, lui expliqua le dragon d'une voix douce. Ou plutôt, nous n'en avons qu'une seule qui voyage sur la ligne du temps. Très peu de gens en sont conscients. Le temps est sans mesure, sans dimension. Ni présent ni passé. Ni ici ni ailleurs. C'est ainsi que les dieux ont voulu ce monde.

La bête tourna son regard vers la fenêtre et admira un instant le paysage urbain qui déroulait son panorama clos comme le sont en général tous les panoramas des grandes villes. Lentement, son regard revint se poser sur le visage de Milan.

— Ce sont les hommes qui ont dénaturé ce monde en lui donnant des limites qu'il n'avait pas à l'origine. Ils ont créé des pays, des frontières, des peuples et des langues différentes, se coupant ainsi de leurs origines communes. Mais au-delà de ça, ils se sont placés sous l'autorité de la mesure et du temps, s'inventant, par le fait même, un passé et un présent… une histoire. Les plus présomptueux ont même spéculé sur l'avenir. La vie et la mort ont ainsi été inventées.

À nouveau le dragon se tut afin que s'inscrivent correctement dans le cerveau du jeune garçon les mots qu'il s'apprêtait à prononcer.

— Le temps est, de tous les attributs de ce monde, celui qu'il vous faudra conquérir si vous voulez sauver la princesse. Le comte Gustave vous a ici rejoint, car sa vie voyage sur la même ligne du temps que la vôtre. Gagnez, sur le temps, le temps qu'il vous faut. Peu il vous en faudra, mais il vous le faudra. Et vitement, car le temps vous est compté.

Quelques secondes plus tard, la chambre de Milan s'emplit à nouveau de la lumière blanche de ce début de décembre. La bête avait disparu et emporté dans son sillage le grimoire et la page couverte de l'étrange écriture qu'y avait abandonnée le stylo d'encre bleue.

Le garçon resta un long moment sans bouger, essayant de mettre de l'ordre dans ses pensées. Devenir fou était une chose, mais n'y rien comprendre en était une autre. Un fou qui ne sait pas qu'il est fou est plus fou qu'un fou qui sait qu'il est fou. Après un moment d'hésitation, Milan se persuada du fait indéniable qu'il savait qu'il était fou et même pourquoi il était fou, et cela le rassura. Il était moins fou qu'il ne pensait. En fait, il n'était pas fou du tout.

Un chien qui parle, qui se transforme en oiseau ou en dragon noir, une princesse prénommée Mélodie qu'il a connue ailleurs et qui vit ici sous les traits d'une Haïtienne, une lutte qu'il doit mener contre le roi illégitime d'une contrée inconnue des Hommes, un vieux grimoire qui disparaît comme par enchantement après avoir échappé dans l'air ambiant, des mots aux lettres de feu, une tour de cristal perdue dans les arcanes du temps ; pour d'autres, tout cela aurait relevé de la pure folie, de l'absurde. Mais pas pour Milan. Tout ceci avait un sens et une réalité bien concrète, mais au diable s'il savait lesquels. Il s'étendit sur son lit. Il ferma les yeux et s'endormit d'un sommeil fragile et agité. Quand il s'éveilla, il avait l'esprit aussi barbouillé qu'une vitre mal lavée.

Un visage occupait ses pensées. C'était celui de la directrice de l'école Saint-Christophe. Allez savoir pourquoi cette bonne femme occupait les restes de son sommeil ! Après tout, le garçon ne pouvait pas prétendre avoir une affection particulière pour elle. Le seul commerce qu'il entretenait avec elle, c'étaient ces sempiternelles retenues qu'il se tapait dans son bureau presque chaque jour en compagnie de l'inénarrable Dieudonné. Et pourtant, c'est vers elle que se dirigeaient à présent toutes ses pensées : vers dame Cunégonde Berteau.

Il la revoyait, assise derrière son bureau encombré de dossiers et de paperasse, les lunettes accrochées à l'arête de son nez comme deux hublots de sous-marin de poche sur sa face ronde comme un cockpit d'hélicoptère. Il se rappela alors un détail concernant son rêve, concernant trois bouteilles qui étaient attachées au ceinturon du vieil homme dans la Tour de Cristal. Ces bouteilles, Milan était certain de les avoir entraperçues, ici même, dans le bureau de…

—Mais, bien sûr ! s'exclama Milan en se redressant au milieu de son lit, en proie à une fébrilité incontrôlable. Dans une armoire vitrée, sous clé, derrière le pupitre de la directrice : les trois fioles !

C'étaient les mêmes flacons, il en était persuadé. Le même format, la même couleur, attachés l'un à l'autre par une corde de chanvre tressé. Qu'est-ce qu'ils faisaient là ?

La fébrilité céda alors le pas à la plus folle agitation. Il ne pouvait plus attendre, il devait agir. Une seule question exigeait une réponse : comment entrer dans l'école Saint-Christophe sans attirer l'attention ?

23

Temporo,
temporo dicta !

A INSI, DIT LA BÊTE EN RÉAPPARAISSANT,
— mon jeune maître a-t-il compris bien
des choses ? Et de toutes celles-là,
de l'urgence d'agir ? Allons-y ! Que mon jeune
maître me suive !

— Mais comment allons-nous pouvoir entrer ? Caresse, attends-moi !

Ils arrivèrent à l'école par des chemins
déclinants. Il faisait nuit. Ils étaient à présent
debout devant les immenses portes de bois de
l'école Saint-Christophe.

— Alors, que faisons-nous ? demanda Milan. Je n'ai pas la clé. On ne va quand même pas
briser une fenêtre. D'ailleurs, il y a des grilla-
ges devant chacune d'elles ?

— Une serrure, une clé ! lança la Chienne
avec un large sourire.

De sa gueule pendouillait une chaîne au
bout de la laquelle était suspendue une clé.

— Mais comment es-tu entrée en possession de cet objet ?

Là encore, le garçon n'obtint aucune réponse. Il se saisit de la clé et jeta un long regard autour de lui afin de s'assurer que personne n'était dans les parages pour les observer.

Nerveux tout de même, car incertain de ce qu'il trouverait à l'intérieur, Milan introduisit la clé dans la serrure. Celle-ci fit son office et la porte émit un sinistre grincement en s'ouvrant.

Milan entra. La porte se referma aussitôt derrière lui. Sans trop qu'il sache comment elle s'y était prise pour entrer sans qu'il s'en aperçoive, Milan vit la Chienne qui l'attendait devant la porte de la directrice.

Ladite porte était fermée. Sans doute était-elle verrouillée de l'intérieur. Il n'allait quand même pas la défoncer. Et même s'il avait voulu la défoncer, avec quoi l'aurait-il fait ? Il n'avait aucun outil sous la main, et ce n'était pas avec ses frêles épaules qu'il y parviendrait.

Il força la poignée et la porte s'ouvrit.

À nouveau, le garçon resta un moment immobile. Il hésitait à pénétrer dans le bureau. Tout paraissait trop facile. Et, en vérité, ce l'était. L'affaire sentait le piège à plein nez. Milan se colla au chambranle puis, de la main, il fit claquer la porte contre le mur afin de s'assurer que personne ne se cachait derrière.

Il régnait dans la pièce un étrange silence et une odeur de caoutchouc brûlé. C'était inhabituel. Cette odeur n'appartenait pas à ces lieux.

Milan y était venu plusieurs fois déjà et, jamais, il n'avait senti pareil effluve. Il leva les yeux et il vit ce qu'il cherchait.

Dans une armoire vitrée et cadenassée, derrière le grand pupitre de la directrice, les trois fioles de terre cuite étaient là. Elles étaient un peu plus petites que dans ses souvenirs, d'une capacité qui ne devait pas dépasser une chopine. Grossièrement décorées de couleurs délavées par le temps, elles étaient attachées l'une à l'autre par une corde de chanvre tressé. À n'en pas douter, c'étaient bien les fioles qu'il cherchait.

Milan remarqua que la clé qui actionnait le cadenas de l'armoire était enfoncée dans la serrure. Il ne lui restait plus qu'à la tourner pour s'emparer de ce qu'il était venu quérir. Ce qu'il fit sans difficulté. L'odeur de caoutchouc s'intensifia au moment où il s'empara des trois flacons. Ça devenait de plus en plus désagréable de respirer. Milan constata que les effluves ne venaient pas de l'armoire, mais d'ailleurs.

En voulant refermer la porte vitrée de l'armoire, il renversa une statuette de marbre qui reposait sur la tablette du bas. Elle se fracassa sur le sol dans un bruit sourd.

Surpris par sa maladresse, le garçon cessa de respirer. Il tendit l'oreille, puis il se pencha pour ramasser les dégâts. L'odeur de caoutchouc s'alourdissait de seconde en seconde, rendant l'air de plus en plus irrespirable. Milan voulut rabattre sur son nez le foulard qu'il portait à son cou quand, tout à coup, sur sa droite…

—Eh bien, mon garçon ? Vous cherchez quelque chose ? fit une voix colérique.

Affolé, Milan voulut se relever et ne réussit qu'à se cogner la tête contre le tiroir entrouvert du pupitre de la directrice. Cette dernière se tenait devant lui, immobile, les bras piqués sur ses hanches comme c'était souvent son habitude quand elle prenait quelqu'un en défaut.

—Madame la directrice ! Madame Berteau ! Ce n'est pas ce que vous croyez. Je ne suis pas venu ici pour ça… et puis que faites-vous là ? Je veux dire…

Milan se tut. L'odeur de caoutchouc était maintenant suffocante. Il comprit que c'était la directrice qui la dégageait. Il la dévisageait d'un regard incrédule.

Dame Cunégonde Berteau était là depuis son arrivée. Elle l'attendait. Mais comment était-elle au courant de sa venue ! Qui donc l'avait prévenue ?

Il jeta un regard furtif à Caresse qui regardait ailleurs, assise sur son séant, tranquille, sans la moindre réaction, comme si de rien n'était. La directrice avait un petit quelque chose d'anachronique dans le regard qui ne seyait pas à son personnage, en tout cas pas à celui que Milan croyait connaître. De l'amusement, crut-il y voir, une sorte de plaisir ou de satisfaction.

La dame tenait entre ses doigts un étrange bidule qui se balançait au bout d'une chaîne faite d'un métal grossier.

— Est-ce l'objet que vous cherchez ? demanda-t-elle après un moment de silence.

— Non, répondit Milan. Qu'est-ce que c'est ?

Il s'agissait d'une boule d'environ deux centimètres de diamètre faite d'un métal doré, peut-être de cuivre. Sa surface était lisse et des inscriptions apparaissaient sur son équateur. Milan n'eut aucun mal à les déchiffrer : *TEMPORO, TEMPORO DICTA !*

Ces trois mots éveillèrent sa curiosité. L'hémisphère sud de la boule était hérissé de centaines de longs poils qui se mouvaient dans l'air comme de petits tentacules.

— C'est un capteur de temps. Et au cas où tu l'ignorerais, cet objet te sera beaucoup plus utile dans ta quête que ces trois fioles. Du moins pour l'instant.

Milan resta tout hébété devant les paroles de la directrice. Elle semblait être au courant de tout ce qui concernait, de près ou de loin, la mission dans laquelle il était engagé. Mieux encore, elle semblait au fait de ses besoins plus qu'il ne l'était lui-même.

— Cette capsule, intervint Caresse, vous permettra d'emmagasiner une certaine quan-

tité de temps à l'intérieur de la sphère. Ce sur-
plus de temps vous sera fort utile le moment
venu.

— Un capteur de temps ! s'émerveilla Milan
en tendant le bras vers l'objet qui continuait à
se balancer devant ses yeux. Mais la directrice
le retira d'un geste vif et le fourra dans la poche
de sa veste.

— Holà, mon garçon ! fit-elle en se trans-
formant, sous le regard ébaubi du pauvre garçon, en un vieillard tout de blanc vêtu que
Milan reconnut aussitôt. Un tel objet ne se
prend ni ne se donne de façon si cavalière. Je
dois m'assurer que celui qui en sera le dépositaire sera digne de la confiance que je lui
porte.

— Ne se prend ni ne se donne ? hurla Milan.

La dernière réplique du vieil homme avait
mis le garçon hors de lui. La colère lui rosissait les joues.

— J'en ai par-dessus la tête de ces jeux de
cache-cache, de ces perpétuelles transforma-
tions. Vous êtes en train de me rendre complètement zinzin. Je ne sais jamais à qui je
m'adresse vraiment. Qui êtes-vous à la fin et
que me voulez-vous ?

Voyant que son jeune ami allait se laisser
emporter dans une de ses crises intempestives
qui ne servirait pas leurs intérêts, Caresse
décida d'intervenir, question de calmer le jeu.

—Milan, je vous présente la dame de la tour ou plutôt le vieil homme de la tour. Car je crois savoir que c'est sous cette forme...

—Ce serait le bon Dieu que ça ne changerait rien à l'affaire ! rugit le garçon. J'en ai marre qu'on me cache tout, qu'on me prenne pour un imbécile, qu'on me traite de ci et de ça ! D'où vient-il ce bonhomme et que fait-il ici ?

—Eh bien ! vous ne manquez pas d'un certain culot, mon garçon, s'indigna le vieil homme. Si je ne m'abuse, c'est vous qui êtes dans MON bureau à une heure, j'ose le dire, tout à fait inconvenante ! D'ailleurs, je me demande si je ne devrais pas en informer la police. Je suis persuadé qu'elle aura deux mille questions préalables à vous poser, mon jeune ami.

—C'est ça, faites donc ! J'aurai gros à leur raconter aux flics ! C'est vrai à la fin ! Qui est-ce qui risque sa vie, ici ? Vous ou moi ? Non mais, j'en ai marre à la fin ! Si vous n'avez pas confiance, ça m'est égal, je fous le camp et adieu veau, vache, cochon !

—Mon jeune maître, je vous en prie, calmez-vous !

—Me calmer ? Tu me demandes de me calmer ? Depuis le début de cette histoire que vous me menez en bateau, tous autant que vous êtes ! Et toi le premier, espèce de tas de poils ambulant ! Je suis entouré de girouettes qui ne cessent de changer de formes, d'être autre chose que ce qu'ils semblent être. Et moi, pauvre con, je ne dis rien, je gobe tout, j'endure tout, je vous obéis comme un imbécile. Et chaque fois, bien sûr, chacun y va de son petit commentaire. On me traite de haut, on m'oblige pour chaque chose à donner des preuves de mon courage, de mon mérite, de mon intelligence, de ma loyauté, pendant que vous restez là, inertes et bêtes comme de vulgaires gargouilles de cathédrale. Et maintenant, voilà que ce clown, avec sa face de cul de singe, qui habite une tour de cristal fondu au fond d'un pays dont tout le monde se fiche bien, me refuse une arme qui m'est nécessaire sous prétexte qu'il ne sait pas qui je suis ? Je n'ai qu'une chose à vous dire : allez tous au diable et fichez-moi la paix ! J'en ai marre, marre, marre !

Sur ces mots, Milan se laissa choir sur le fauteuil et se mit à pleurer comme un enfant. Une averse de pluie sur ses joues empourprées. Un lourd silence envahit la pièce. Personne n'osa le briser avant que Milan n'eût retrouvé un peu de son calme. Quand chagrin et colère eurent épuisé leurs dernières munitions, Caresse s'approcha. Elle posa sa grosse tête sur les cuisses de son ami et lui parla avec douceur.

—Je comprends votre désarroi, petit maître. Et je m'excuse pour les manières parfois grossières que nous avons eues à votre égard. Mais il faut nous comprendre. Quand nous avons appris que c'était vous l'élu, un être si jeune, sans aucune expérience, avec ce caractère, disons, imprévisible, nous avons été pris de court. Plusieurs ont douté de vos capacités, moi le premier, je l'avoue. D'autres ont soutenu l'extravagante hypothèse que vous étiez envoyé par le comte Gustave pour nous confondre. Alors, bien sûr, certains d'entre nous ont fait preuve – Caresse décocha un regard discourtois à l'endroit du vieil homme de la Tour de Cristal – d'une mauvaise foi évidente. Je vous demande de nous pardonner.

— C'est hélas trop vrai ! admit le vieil homme qui s'empressa de reprendre forme sous l'image moins menaçante de la directrice de l'école. Il n'a pas été facile de retrouver votre trace, mon garçon. Après votre disparition de la tour, nous vous avons perdu de vue. Voilà des jours que Caresse et moi vous cherchons partout. Cette planète a beau être petite, elle n'en contient pas moins des milliers et des milliers d'endroits où se cacher.

— Je ne me cachais pas, rétorqua Milan.

— L'aiguille non plus ne cherche pas à se cacher, expliqua la dame d'une voix doctorale. Mais quand elle se trouve dans une botte de foin, vous avouerez que ça revient au même. On ne la retrouve plus.

Milan fut incapable de répliquer quoi que ce soit à l'argument de la directrice, qu'il jugea tout de même un peu fallacieux. Caresse vit le malaise s'installer à nouveau chez son jeune maître et elle prit les devants sur la directrice qui n'eut d'autre choix que de faire contre mauvaise fortune bon cœur. La Chienne arracha le pendentif que la dame tenait dans sa main droite.

— Ne vous cabrez pas, mon garçon. Quant à vous, madame, peut-être serait-il utile de ne pas compliquer davantage des choses qui le sont déjà suffisamment comme ça. Surtout que le temps va bientôt se faire très court. Milan, je vous en prie, prenez ceci et écoutez ce que madame Cunégonde a à vous dire.

Caresse lui tendit le capteur de temps. Milan s'en saisit sans grande conviction. Il le tourna et le retourna dans sa main sans trop savoir qu'en faire. La directrice le rabroua en constatant la nonchalance avec laquelle il manipulait l'objet.

— Ce n'est pas un jouet, monsieur Milan. Pour une fois, mettez quelque sérieux à écouter ce que j'ai à vous dire…

Elle fit silence et ferma ses yeux un moment avant de reprendre.

— Vous avez des raisons de vouloir sauver deux personnes. Deux personnes qui, vous devez vous en être rendu compte déjà, n'en forment qu'une seule. Mélodie Jardinlieu est la princesse que vous avez juré de sauver. Le moment est venu de tenir votre serment. Vous n'avez aucune possibilité de vous décharger de cette responsabilité sur quiconque. Et du dénouement de ce combat dépendra le sort de notre Mélodie à nous et celui du monde pour les cinq cents prochaines années.

— Le sort du monde ! ricana Milan, trouvant un brin alarmistes les affirmations de la directrice. Et pour cinq cents ans, rien de moins ! Comme vous y allez !

La dame décida de ne pas tenir compte de l'intervention et continua :

— Il vous a été dit, dans la Tour de Cristal, que le succès de votre entreprise dépendait de votre capacité à retenir le temps. TEMPORO, TEMPORO DICTA ! L'objet que vous tenez entre vos mains vous en offrira la possibilité. Ne vous en départez jamais. Portez-le en permanence et ne laissez quiconque y toucher, ni s'en approcher ni même le voir. N'en parlez à personne, ne cherchez pas à agir sur lui autrement que de la façon que je vais maintenant vous expliquer.

Il y eut un lourd et très long silence durant lequel la dame chercha les paroles les plus sages à prononcer. Elle n'était pas décidée encore sur la nature des choses qu'elle était en droit de révéler au jeune garçon. Elle ferma les yeux à nouveau et entra en conversation avec quelqu'un ou quelque chose d'invisible. Ses lèvres remuaient, s'arrêtaient comme si elle écoutait quelque réponse venue jusqu'à elle, puis ses lèvres se remettaient ensuite à remuer silencieusement. Il en fut ainsi pendant quelques minutes. Enfin, dame Berteau rouvrit les yeux.

— Il faut que vous sachiez, mon garçon, commença la directrice, que le monde est entré dans une ère de grande agitation depuis plus de deux siècles. L'Homme a découvert le pouvoir incommensurable du Mal. Les guerres se succèdent à un rythme que cette Terre ne pourra plus longtemps supporter. Elles sont de plus en plus cruelles et meurtrières. Et l'Homme, obnubilé par le pouvoir des armes, s'est mis tout entier au service de ses ambitions soutenues par une inconscience implacable. Bien sûr, l'histoire est friande de ces épisodes de grande cruauté humaine. Combien de massacres, de croisades, de combats fratricides cette planète n'a-t-elle pas vu se succéder sur ses divers rivages ? Mais c'est la première fois que l'Homme possède les armes capables de le détruire et, avec lui, toute vie sur Terre. Et si rien ne l'arrête, ces armes apocalyptiques, un jour, le détruiront.

La Dame parut tout à coup épuisée par ces premières révélations. Elle jeta sur Caresse un regard pressant pour que la bête continue à sa place.

— Milan, intervient la bête, tu dois connaître certaines vérités. L'époque des dragons est depuis longtemps révolue. Elle a pris fin quand les Hommes ont anéanti ma race. Comme tu le sais déjà, un dragon blanc et moi avons survécu. Mais le mal était fait. Peut-être pas un mal. Disons, plus stoïquement, qu'une époque se terminait et une autre commençait. Ainsi va la vie. Mais, avec le temps des dragons, s'abîma aussi une vieille tradition de prudence…

Ce n'est pas à toi, petit humain, que j'apprendrai combien l'Homme est un être impétueux, téméraire et orgueilleux. Mais il a pour lui l'intelligence, un certain courage, de la suite dans les idées et beaucoup, beaucoup de curiosité.

—Caresse, mon amie, où veux-tu en venir ?

Ce fut au tour de Caresse de lancer un appel du regard vers la directrice qui prit le relais.

—Quand les dieux constatèrent que le temps des dragons touchait à sa fin, ils ordonnèrent à ceux-ci de se départir des coffres renfermant le Bien et le Mal au profit des Humains. Ils les relevèrent de leur fonction de gardiens. Il me fut confié la tâche de trouver deux nouveaux gardiens pour les coffres, mais cette fois chez les Hommes. Il était hors de question de choisir parmi les grands seigneurs de l'époque, ceux de France, d'Espagne, d'Angleterre ou de la Germanie intérieure. Je me tournai donc vers un petit pays, si minuscule qu'il ne faisait l'envie de personne. Vous le connaissez pour y avoir vécu vous-même. Il s'agit du pays d'Ailleurs. Cette contrée vivait dans la paix depuis toujours et son roi de Jardinlieu offrait toutes les garanties de grandeur de cœur et d'esprit. C'est à lui que fut confiée la garde du coffre du Bien.

Pour celui du Mal, ce ne fut guère facile. Il nous fallut débattre longtemps avant de fixer notre choix sur messire de Brigançon, un chevalier volontaire à l'abri des tourments de l'âme, ce qui offrait, nous le pensions tout au moins, l'assurance que le Mal serait par ses soins contenu et protégé adéquatement. Ce que je n'avais pas prévu, c'est qu'il succomberait à une violente chute de cheval l'année suivante et que le coffre du Mal se retrouverait entre les mains indélicates de son fils, le comte Gustave, beaucoup trop jeune et inexpérimenté pour assumer une telle charge.

Mû par une grossière volonté de puissance, il ouvrit le coffre du Mal et répandit tout son contenu sur le monde. Cela rompit l'équilibre des forces jusque-là entretenu par l'endiguement des excès de l'une et de l'autre des deux forces. Mais dès lors que l'un fut ouvert et l'autre fermé, ce bel équilibre fut anéanti. Il aurait fallu ouvrir le coffre du Bien pour rétablir l'égalité des forces en présence. Mais le roi n'en eut pas le réflexe et nous n'eûmes pas le temps d'intervenir.

C'est ainsi que s'accumulèrent les malheurs sur tout le pays d'Ailleurs, le dépit et la souffrance. Le roi Jardinlieu fut le plus touché et il sombra très vite dans la plus affligeante des mélancolies.

S'étant approprié les sombres vertus du Mal, le comte Gustave joua de son influence et avant que nous n'en eussions été informés, il avait mis son plan à exécution, rassemblé une armée de fidèles, enlevé la princesse Mélodie et mis le roi de Jardinlieu en exil, s'appropriant par là même la couronne et l'autorité sur le coffre du Bien et sur tout le pays d'Ailleurs. Mais ça vous le savez déjà.

Bien que peu nanti en sagesse, Gustave avait hérité de l'intelligence fine de son auguste père. Il comprit l'importance de ne jamais ouvrir le coffre du Bien. Aussi fit-il transporter le coffret dans les terres inaccessibles de la forêt des Inconstances en un lieu demeuré secret. Ainsi, les forces du Mal ne furent jamais mises en équilibre par celles du Bien. Sans entraves, elles se répandirent sur toute la surface de la Terre.

Bientôt, si rien n'est fait, le monde sera abandonné à la folie des Hommes et à sa destruction. Depuis longtemps, les dieux l'ont abandonné. Si l'équilibre n'est pas bientôt rétabli par l'ouverture du coffre du Bien, la Terre entière sombrera dans les gouffres de son propre anéantissement.

La Tour de Cristal, pendant un certain temps, a réussi à circonscrire le Mal, mais notre pouvoir s'affaiblit. Il nous fallait un champion pour accomplir la tâche que nous n'avions plus la capacité d'accomplir nous-mêmes. Notre choix se porta sur la seule personne qui avait eu la force de s'opposer aux projets du comte Gustave : vous !

Nous déléguâmes près de vous le dragon noir, sous la forme d'un chien errant afin qu'il veille discrètement sur vous. Et nous concédâmes aux âmes errantes de l'étang aux Mirages l'autorité de vous instruire de certaines affaires...

La dame se tut un instant, sans doute pour donner à Milan le temps de bien enregistrer le contenu de ses révélations pour le moins étonnantes. Milan ne bougeait pas, tétanisé par un discours dont il était le centre, le cœur et la cible.

Si ça n'avait été que de lui, il aurait pris ses jambes à son cou et il aurait fui le bureau de direction de cette école de tordus, dans ce quartier de tordus au milieu d'une ville de tordus. Mais il ne pouvait plus bouger.

Où voulaient-ils en venir ? Quelle était cette diabolique mission à laquelle, prétendaient-ils, il ne pouvait se soustraire ? Et s'il s'y soustrayait, justement, que pourraient-ils contre lui ? Croyaient-ils tout décider, tout ordonner, comme si lui-même n'avait plus un mot à dire ?

24

Une décision difficile
à prendre

— QUE ME VOULEZ-VOUS À LA FIN ? demanda Milan d'une voix irritée.

— Mille fois rien, en définitive, répondit la directrice. Que vous combattiez et que vous vainquiez le comte Gustave, que vous libériez la princesse Mélodie et son père, le roi de Jardinlieu et, surtout, que vous vous empariez du coffret du Bien détenu par le comte. Priorité absolue : le coffre du Bien ! Vous voyez, ce n'est pas très compliqué.

— Si je comprends bien, ironisa Milan, parce que vous avez fait une boulette en distribuant les coffres du Bien et du Mal à de parfaits incompétents, vous me demandez maintenant de réparer les pots cassés en risquant ma vie parce que vous n'avez personne d'autre sous la main pour faire le sale boulot. C'est ça ?

— Je trouve, intervint Caresse, que mon jeune maître a parfois une manière un peu caricaturale de résumer une idée.

— Caresse, ma Chienne, ton petit maître te dit « merde ! »

— Ah ! Mais restez poli, hein ! le rudoya la directrice. De toute façon, il est trop tard pour faire marche arrière.

— Ah oui ? Et pourquoi ?

— Parce qu'il y a Mélodie ! Elle est à la dernière extrémité.

— Et mes fesses à moi, qui s'en préoccupe ?

— Mais c'est vous qui vouliez sauver cette jeune personne ! intervint la Dame. Vous avez exigé que les dieux vous transforment en héros !

— Oui ! Eh bien, j'ai changé d'avis ! Mélodie, elle s'y est mise toute seule, dans la mélasse. Eh bien qu'elle s'en sorte toute seule ! Elle n'a pas son gros frère Dieudonné pour la protéger, celle-là ? Ou alors, sauvez-la vous-même !

— Mais, mon jeune maître, vous savez très bien ce qui se prépare.

— Justement, je ne le sais que trop bien !

— L'incendie, Dieudonné brûlé sur tout le corps, la mère de Mélodie entre la vie et la mort. Mélodie rapatriée en Haïti. Ne me dites pas que vous avez oublié ?

— Ils n'ont qu'à faire comme moi : faire la boule et attendre que ça passe ! clama Milan avec toute la mauvaise foi dont il était capable. Maintenant, laissez-moi sortir.

Caresse ne bougea pas et montra plutôt les crocs quand Milan voulut approcher sa main de la poignée de la porte du bureau de la directrice. Derrière lui, une mutation s'était à nouveau opérée sans qu'il s'en aperçoive, et ce fut avec beaucoup d'inquiétude qu'il entendit une voix inconnue marmonner derrière lui.

— Ainsi, nostre belle garçouille, veutaille reprendre sa parole donnaillée ?... Bienne ! Bienne ! Mais pour cela, una seule chose à fare : quand une languasse se languit de trop en dire au dépit de son mastre, il fautaille la tranchare[1].

Milan se retourna et vit une bête énorme, toute blanche qui se balançait derrière le pupitre directorial, les ailes ouvertes comme les voiles d'un brick sous le vent.

— Le dragon blanc ! eut-il peine à articuler tellement son étonnement et son épouvante furent grands.

Milan en perdit toutes ses couleurs. C'est Caresse qui bondit pour lui offrir un siège afin qu'il s'assoie et retrouve ses esprits.

— En voilà assez, Dame Cunégonde ! hurla la Chienne. Cessez ces enfantillages !

— Caresse, ma chère Caresse ! hoqueta Milan à bout de force. Vous allez finir par me rendre dingue avec toutes vos métamorphoses.

— S'émouvoir comme ça pour une simple mascarade ! marmona la Dame qui venait de reprendre les traits de la directrice.

---

1. — Ainsi notre beau garçon a décidé de reprendre sa parole donnée. Bien ! Bien ! Mais dans ce cas, une seule chose à faire : quand une langue veut en dire plus que son maître, il faut alors la trancher.

— Dame Cunégonde ! fit Caresse. Ce n'est certainement pas de cette façon que nous obtiendrons la collaboration de ce garçon.

— Peut-être ! gémit la directrice. Mais il a le droit de savoir dans quoi il s'embarque. Il ne s'agit pas d'un simple jeu de piste ou d'une partie de colin-maillard.

— Tout sera fait en son temps, dit sèchement Caresse.

— Eh bien, mon amie, le temps me semble venu, vous ne trouvez pas ? Si la simple vision de son ennemi le terrifie au point de le faire s'évanouir, qu'en sera-il quand il sera devant ses véritables adversaires, quand il devra prendre des décisions rapides et agir avec promptitude ? Si c'est son bien que vous voulez, alors ne le ménagez plus. Il faut tout lui dire ou renoncer.

— Qu'est-ce qui doit être fait ? Que devez-vous me dire ? Que dois-je savoir ? demanda Milan d'une voix inquiète.

Un long moment s'écoula avant que la directrice ne reprît la parole.

— Alors, vous le lui dites ou je le fais ? s'enquit-elle auprès de la Chienne.

Caresse hésita un instant, puis se retira dans un coin de la pièce.

— Vous avez raison, dites-le-lui, concéda-t-elle finalement.

— Eh bien voilà ! Vous êtes une très vieille âme, cher Milan. Votre ligne de vie traverse de nombreuses époques ; quarante-trois en tout. Celle qui nous préoccupe remonte à la trente-troisième alors que vous viviez, comme vous le savez, durant la période médiévale dans le pays d'Ailleurs. Jusque-là vous me suivez ?

Milan fit un faible signe affirmatif de la tête.

— Bien ! reprit la dame. Je ne vous ferai pas le récit des multiples aventures que vous y avez vécues. Vous les connaissez mieux que moi. Plus tard vous avez migré dans plusieurs vies avant d'aboutir dans celle-ci en compagnie de vos parents et vous êtes installé dans cette grande demeure et dans le rôle d'un enfant monstrueux, agaçant, présomptueux, amer, inquiet et maladroit. J'aime assez ce genre de personnage. Je dois l'admettre. Bref, vous étiez un être tout à fait exécrable. Jusqu'à votre rencontre avec la jeune et jolie Mélodie Jardinlieu, rencontre qui vous a complètement transformé. À partir de ce moment ont éclos en vous de grandes vertus : le courage, l'abnégation, la patience et surtout la générosité. Mais revenons au fait que vous ayez migré dans notre époque actuelle. Vous ne l'avez pas fait pour rien. C'était pour échapper à vos ennemis : le comte Gustave et ses sbires, bien sûr, mais aussi dame Jacquemère, le malicieux Dragon Blanc et aussi, mais cela vous l'ignorez, ces ignobles créatures que sont les Macoutes.

— Les Macoutes ?

— Ce sont des créatures diaboliques et malicieuses, cruelles et dangereuses qui habitent depuis toujours la forêt des Inconstances. Elles se sont mises au service du comte Gustave. Quand ce dernier apprit votre présence en ce siècle, il décida d'y migrer sous les traits de Gus que vous connaissez bien. Mais il se fit précéder d'un commando de Macoutes qui, après vous avoir retrouvé, décidèrent de s'en prendre à vous. J'ai dû moi-même intervenir, chez vous et en pleine nuit, pour éliminer la menace qu'ils faisaient peser sur toute votre famille.

— Attendez ! Que dites-vous ? l'interrompit Milan, les yeux arrondis comme des billes de loto. Vous êtes en train de me dire que le soir où j'ai cru vous voir en rêve, affublée d'un grotesque costume noir, gréée comme un Rambo de pacotille, ce n'était pas un rêve ? Vous étiez vraiment dans la maison en train de tirer et de grenader tout ce qui bougeait ?

— C'est bien ça, sauf que je n'ai pas utilisé de grenades ni de fusil mitrailleur. Ça, c'étaient les résultats du rêve que nous vous avions suggéré par l'entremise d'une petite bombe aérosol contenant un gaz hallucinatoire. Nous n'avions guère le choix des moyens. Les Ma-

coutes avaient retrouvé votre trace et s'apprê-
taient à vous éliminer purement et simplement.

— Merde !

— Mais ce n'est pas le plus grave. Il y a huit
mois, Caresse a retrouvé la trace de Dame
Jacquemère la souillonne, alias Médessa du
pays de Pandora.

— Quoi, cette commère est ici ? Vous voulez dire qu'elle a retrouvé ma trace ?

— Quand les Macoutes vous ont retrouvé,
ils n'ont pas gardé ce secret pour eux. Ils en ont
fait profiter leur « commanditaire », si je puis
m'exprimer ainsi.

— Mais c'est extrêmement grave. C'est très
déplaisant. Pourquoi, Caresse, ne m'as-tu rien
dit ?

— Que vous aurais-je dit ? Que des tueurs
étaient à vos trousses ? Vous auriez paniqué et,
sans le savoir, par simple maladresse vous
vous seriez placé dans une plus vilaine situation encore. Il valait mieux vous protéger et
éviter de vous faire commettre l'irréparable.

— La commère, comme vous l'appelez,
ignore que nous avons découvert sa présence
parmi nous. Vous la connaissez très bien d'ailleurs.

— Qui est-ce ?

— Madame Jacques, votre enseignante de
sixième, lança la directrice avec un pincement

de fierté sur les lèvres comme si elle était très satisfaite de son coup.

—Quoi ? hurla Milan. Mais vous êtes folle de m'avoir placé dans sa classe.

—Erreur, mon garçon ! C'est la meilleure idée que j'ai eue depuis des siècles ! Ici, elle est sous mon autorité. Elle ignore qui je suis. Toute proche qu'elle soit, elle ne peut rien contre vous. Je puis deviner ses pensées et vous protéger mieux que je ne pourrais le faire si cette sorcière s'était évaporée au milieu de nulle part.

Milan s'appuya la tête contre le dossier de la chaise sur laquelle il était assis. Il était épuisé, vide, anéanti. Sa bouche était aussi sèche que si on y avait versé tout le sable du Sahara. Dans son délire, les images allaient et venaient comme si elles étaient prises de folie.

—J'ai un affreux mal de bloc ! admit Milan après un long silence. Et puis je suis mort de peur.

—Ressentir la peur ne fait pas de nous un lâche, répliqua la Chienne d'une voix apaisante. Il n'y a aucune honte à avoir peur.

—Caresse, ma douce amie, je n'ai rien du héros qu'il vous faut. Toute ma vie j'ai voulu être ce que je ne suis pas. Tantôt un monstre, maintenant un héros. Mais je ne suis rien d'autre qu'un garçon de douze ans, sans force particulière, sans caractère, sans pouvoir magique.

—Non ! Mais vous avez du cœur, de l'intelligence et, par-dessus tout, une grande soif de justice, un sens de l'honneur et de la fidélité envers ceux que vous aimez. C'est plus qu'il n'en faut pour mener à bien cette mission. Le comte Gustave n'a pas la moitié de votre force.

—Peut-être ! Mais il possède une armée pour le défendre.

—Si fait ! admit Caresse. Et vous aurez la vôtre.

—La mienne ?

—Les Filbringues ! Un peuple des montagnes, amis du Bien, espiègles, fouineurs et fiers combattants. Je vous expliquerai le moment venu. Pour l'instant, Milan, rassemblez votre courage, ouvrez votre esprit et écoutez les conseils de dame Cunégonde. Ils vous seront d'une grande utilité pour mener à bien votre mission.

Milan se laissa convaincre. Il s'assit, et les explications de dame Cunégonde reprirent.

—Une histoire toute simple, fit-elle d'entrée de jeu. Nos horloges, nos calendriers, notre temps, celui dans lequel nous nous mouvons, s'expriment dans l'erreur. Si bien qu'il faut, à chaque quatre années, ajouter une journée supplémentaire si nous voulons suivre la course des astres. Ce que nous faisons en intercalant, entre le 28 février et le premier mars, un vingt-neuvième jour au mois le plus court de l'année. C'est ce que nous appelons l'année bissextile. Et même alors, sache, petit homme, qu'on n'équilibre même pas le retard que nous prenons sur le temps réel. Car, en fait, si nous y pensons bien, le temps est une notion aléatoire, le prisme déformant d'une réalité qui ne peut se mesurer. Mais basta !

Et dame Cunégonde continua pendant un long moment, ruminant souvenirs et anecdotes sur le ton doctoral que Milan lui connaissait bien. Elle avançait dans son récit sans que personne ne sache trop où elle voulait en venir.

À bout de patience, Caresse intervint.

— Et si vous coupiez dans le scénario, dame Cunégonde ? Nous perdons un temps précieux.

L'interpellée eut un regard outré. Elle fit silence, ferma les yeux, remua le nez, sembla retrouver enfin son calme. Quand elle reprit son discours, ce fut sur un ton monocorde et à une vitesse affolante. Son propos se résuma en une simple équation mathématique.

— $(24 \times 60 \times 60)$ divisé par $(365 \times 4) = 59{,}17$ secondes par jour ! Voilà ! Satisfaits ? conclut-elle en s'assoyant, boudeuse, derrière son pupitre.

Caresse soupira de découragement, mais ne se laissa pas distraire par l'humeur martiale de la femme. Elle se redressa puis regarda Milan qui était complètement décontenancé.

—Ce que madame Cunégonde a voulu vous expliquer, c'est que chaque jour qui vous sépare du grand jour, est plus long en réalité de 59,17 secondes. Ainsi, en vous servant du capteur de temps, vous parviendrez à emmagasiner 414,19 secondes d'ici le jour où vous devrez intervenir. Ces secondes vous seront très précieuses, car c'est le seul temps que vous aurez pour remplir votre mission.

Milan sentit à cet instant son estomac manifester de la contestation.

—Quoi ? C'est tout ? rugit-il. Moins de sept minutes ! Mais, Caresse, tu te moques de moi !

—C'est plus qu'il ne vous en faudra si vous faites ce que je vous dis. Vous y parviendrez, je vous assure. Je vous en prie, accordez-moi votre confiance.

—Il manque le mot « con » au mot « fiance » pour faire le mot confiance, et c'est justement ce que je suis, un con, de vous écouter délirer comme ça sans réagir.

—Maître, un peu de patience ! S'il vous plaît ! Faites bien attention maintenant, commença-t-elle. Voici comment fonctionne le capteur de temps. À minuit précis de chaque jour, vous engagez le pêne de l'hémisphère nord, vous voyez, ici, dans l'encoche de l'hémisphère sud. Comme ça ! Une fois les deux hémisphères bien alignés, vous retournez la sphère de manière à ce que les tentacules soient positionnés vers le haut. Vous l'agitez dans l'espace, comme ceci, en formant de grands huit. La bille, à un certain moment, va s'illuminer de l'intérieur. À partir de cet instant, vous comptez lentement jusqu'à dix, puis vous retournez la sphère à nouveau et vous désamorcez le mécanisme en retirant le pêne de son encoche. Ce n'est pas plus compliqué que ça. Vous avez compris ?

— Je ne suis pas tout à fait idiot, répliqua Milan un brin contrarié après que la Chienne lui eut remis l'objet entre les mains.

— Bien. Vous devez garder cet objet à l'abri de la curiosité des gens. Ne le montrez à personne et gardez-le sur vous en permanence. Ne vous en séparez jamais.

— Ça va, j'ai compris ! Et ces trois fioles, s'enquit Milan après quelques secondes de silence, à quoi servent-elles ? Car après tout, ce sont elles que j'étais venu chercher.

Caresse parut prise au dépourvu par la question de son jeune maître. Le contenu de ces fioles ne semblait pas faire partie du lot d'informations qu'elle voulait confier à Milan. Elle échangea un long regard avec la directrice.

25

Les trois fioles

LES FIOLES ÉTAIENT EN SÉCURITÉ dans la grande Tour de Cristal, commenta la directrice après un moment de silence. Sans doute, les y aviez-vous remarquées. Elles étaient attachées à mon ceinturon. Quand il nous fallut quitter la tour, après votre disparition, je les ai apportées avec moi. Elles me suivent dans tous mes déplacements.

La directrice fit silence. Elle s'approcha du garçon et fit peser sur lui un regard sombre.

— Vous avez posé un jour à Caresse une question fort pertinente et de haute conséquence. Vous en souvient-il ?

— J'ai posé à Caresse tant de questions que j'ignore à laquelle vous faites allusion.

— Vous lui demandiez quel était le Mal absolu, celui qui seul méritait d'être combattu ?

— En effet, confirma Milan.

— Et quelle fut la réponse de votre amie ?

— Qu'il me fallait trouver par moi-même une réponse à cette question. Que de cette réponse dépendait le succès de notre entreprise.

— Bien, murmura la Dame en inclinant doucement la tête dans un signe d'acquiescement. Ces trois fioles contiennent une partie de la réponse que vous cherchez. Leur histoire remonte à la nuit des temps.

L'une des déesses, insatisfaite de ce que les dieux léguaient aux créatures de ce monde dans les coffres du Bien et du Mal, voulut protéger ces mêmes créatures des excès contenus dans ces coffres en enfermant à l'insu des autres dieux, les attributs les plus déterminants du Bien et du Mal. Vous me suivez jusqu'ici, monsieur Milan ?

— Je ne vois pas où vous voulez en venir, mais ça va, je vous suis.

— Très bien ! Par une nuit sans lune, elle ouvrit les deux coffrets et extirpa de chacun la vertu et le vice primordiaux. La première a pour nom l'*intraspiritu*, dans le langage des dieux, ou la *compassion*, dans celui des hommes. Elle dépend de la nature même du Bien. Elle en est son expression la plus achevée. La Déesse déposa l'*intraspiritu* dans cette fiole marquée de trois traits superposés puis referma le coffret d'or. Puis elle ouvrit le coffret du Mal et elle s'empara de l'*extraspiritu*. Il n'existe pas de mot dans toutes les langues de ce monde pour exprimer ce qu'inspire en horreur l'*extraspritu*. C'est la quintessence du Mal. C'est la capacité que possède un être vivant d'aspirer à son anéantissement et à celui de toute sa race. L'*extraspiritu*, c'est l'amour, le besoin, la quête de la Haine, l'incapacité d'exister sans elle.

Quand la déesse se fut emparée de cette monstruosité, elle l'enferma dans la fiole marquée de trois traits verticaux. Elle referma ensuite le coffret du Mal. Ce faisant, la déesse privait peut-être les hommes de la plus grande des vertus, mais aussi du plus grand des maux, tout en préservant l'équilibre de ce monde.

—Mais, Madame, les hommes connaissent bien la compassion, objecta Milan. Et la haine ne leur est pas inconnue, beaucoup s'en faut.

—Vous avez raison ! Il faut que vous sachiez que les autres dieux furent mis au courant de la décision de leur sœur. Ils furent cependant incapables de détruire le charme qu'elle avait créé autour des deux fioles. La promesse d'un dieu ne peut être défaite par d'autres dieux, quel qu'en soit le nombre.

Alors, pour contrarier leur sœur, ils usèrent d'un stratagème presque vicieux et indigne de leur fonction. Les dieux ne sont guère différents des Hommes. Ils sont soumis aux mêmes passions et aux même excès. N'ont-ils pas créé les hommes à leur image ?

Ainsi ils soumirent ces deux attributs, la compassion et la haine, à l'autorité d'un troisième. Ils créèrent une substance atrabile qu'ils répandirent sur le monde : la corruption.

Cette arme terrifiante a le pouvoir de dénaturer tous les éléments, bons ou mauvais. Ce faisant, ils détruisirent la limpidité qui régnait autrefois sur le monde. Vertus et vices se déprécièrent, s'aliénèrent et plusieurs disparurent. Cela explique pourquoi il est parfois si difficile de distinguer le Bien du Mal. Et voilà aussi ce qui explique que les humains fassent preuve parfois de compassion et parfois de haine. Bien que ces deux vertus soient toujours enfermées dans les fioles, une certaine forme de compassion et de haine s'est recomposée à la suite du grand brassage originel.

Mais les dieux ignoraient l'existence d'une troisième fiole. Dans cette dernière, la déesse avait eu la sagesse d'enfermer les trois éléments purificateurs de ce monde en un dosage parfait : l'eau qui lave, le feu qui purifie et l'air qui disperse. L'Eau, le Feu et l'Air. Cette fiole possède un pouvoir inimaginable de régénérescence. Seul un cœur pur pourra un jour briser le sceau sacré de la troisième fiole et répandre sur le monde ses bienfaits. Ce faisant, il rétablira pour cinq cents ans l'équilibre en ce monde, équilibre brisé à l'origine par les dieux eux-mêmes. Tu comprends, mon tout beau ?

— Non, fit Milan. Si vous connaissez déjà le contenu de ces trois fioles, pourquoi n'agissez-vous pas maintenant ? Ou mieux, pourquoi ne pas avoir agi avant, dès que vous avez été mise au courant de l'affaire. Je ne comprends pas qu'on ait différé ce moment si c'est pour le bien de ce monde.

— Pour trois raisons, mon tout beau. Premièrement : le contenu de ces fioles, qui étaient en effet sous ma protection, ne m'a été révélé que lorsque la Tour de Cristal a été détruite après votre départ. Voilà moins de huit cents ans. C'est très court pour agir en semblable matière, vous avouerez. Deuxièmement : depuis ce temps, il nous a été retiré le droit d'intervenir dans les affaires de ce monde. Et la dernière raison est la plus importante des trois : le monde est entré dans une période d'agitation incompatible avec l'action de purification. Tant que le coffret du Bien n'aura pas été rouvert et son contenu répandu sur le monde, la troisième fiole ne pourra être brisée.

— Et que ferais-je des deux autres fioles ?

— Il faudra les enfermer à jamais dans leur coffre respectif, celui du Bien et celui du Mal. Cette tâche vous appartient. Et ainsi que je vous l'ai dit, vous ne pouvez vous en décharger sur qui que ce soit d'autre. Vous êtes l'Élu, monsieur Milan. L'Élu ! De ce fait, vous héritez de grands pouvoirs, mais aussi d'une grave responsabilité. Voilà, vous savez tout ! Je ne puis plus rien pour vous. Adieu et bonne chance.

Sur ces paroles, un éclat bleuté accompagné d'une affreuse odeur de caoutchouc brûlé salua la disparition de la directrice et la fin des grandes explications. Milan et Caresse restè-rent seuls dans le bureau alors que la nuit la plus sombre envahissait le monde.

26

La première confrontation

SUR LE CHEMIN DU RETOUR, Milan allait, silencieux et replié sur lui-même. Le vent glacial de l'hiver naissant charriait des restes de neige qui s'engouffraient sous le col de son manteau sans qu'il en ressentît la morsure. Il n'avait pas pris le temps de l'attacher ni d'enrouler sa longue écharpe de laine autour de son cou. Ses mains enfoncées dans les poches de son anorak, il marchait lentement, le pas lourd, la tête remplie de mille questions dont certaines avaient obtenu réponses, d'autres non. Il essayait de faire le point sur tout ce qu'il venait d'apprendre, faisant le tri entre le farfelu et l'utile. Mais il n'y parvenait pas. Toutes les pièces du puzzle n'arrivaient pas à livrer une image claire de l'affaire. Il avait l'esprit verrouillé par la peur.

Caresse ne quittait plus son jeune maître. Pendant les six nuits qui suivirent, Milan ne dormit pas beaucoup. Ses nuits étaient entrecoupées de cauchemars qui ravageaient son sommeil et le tenaient prisonnier entre le doute et le désespoir. Si, parfois, de grands élans d'optimisme lui traversaient le corps, la plupart du temps il allait, désemparé et affaibli par le manque d'appétit et de sommeil. Mais quels que fussent ses états d'âme, il ne manqua jamais d'agiter le capteur de temps à minuit précis, comme le lui avait prescrit la directrice, emmagasinant ainsi les précieuses secondes requises.

La semaine passa comme toutes les autres, occupée en bagarres et en démonstrations de force que sanctionnait l'impétueux monsieur Émile Gendron, dit Gros Nigaud, par les habituelles retenues. Ce dernier avait pris la relève de dame Cunégonde Berteau qui n'avait plus donné signe de vie depuis les événements de la fin de semaine. Elle avait disparu sans laisser aucune explication.

Puis arriva le fameux jeudi. Celui où, accompagné de Mélodie, il croisa Gustave sur son chemin pour la deuxième fois. Mélodie et lui rentraient de l'école. Ils parlaient de tout et de rien. Il faisait un froid de canard et le ciel était noir. Caresse suivait sa jeune maîtresse en fixant Milan de son regard protecteur. Celui-ci, par moments, avait l'impression d'y lire un large sourire et une affection débordante.

Gustave déboucha comme un diable au coin de la rue qui faisait carrefour avec la rue Saint-Christophe. Il était seul, remarqua Milan. Ses lieutenants n'étaient pas à ses côtés et, plus étonnant encore, son affreux chien, Brutus, était absent. Ça ne rendait pas Gustave plus sympathique ou moins menaçant pour autant. Aussitôt qu'il l'aperçut, Milan fut transpercé par une terrible angoisse.

Mais il ne paniqua pas. Au contraire, il eut la révélation de ce qui allait suivre et cela dégagea chez lui une grande bouffée d'énergie.

Gustave ne paraissait pas impressionné par la présence de Milan aux côtés de Mélodie ni par celle de la chienne Caresse. Il s'avança vers eux avec un sourire crapuleux qui lui déformait le visage. Quand il fut arrivé à leur hauteur, Milan le vit sortir sa main de la poche de son manteau. Il allait porter le doigt à sa gorge pour esquisser le geste de menace que Milan avait prévu qu'il ferait.

Mais avant que Gus n'ait pu tracer le moindre mouvement dans l'air avec son index dressé comme une arme, Milan était sur lui. L'attaque fut si brutale et inattendue que l'autre se retrouva couché au sol, immobilisé. Les regards exacerbés et furieux des deux garçons se croisèrent une fraction de seconde, mais ce fut suffisant pour qu'ils se reconnaissent.

—Ce geste, Gustave, fils et petit-fils de Macoute, tu n'auras pas la chance de le tracer une seconde fois. Je sais qui tu es. Et sache que tu ne m'impressionnes pas. Si tu essaies quoi que ce soit à l'encontre de la princesse Mélodie, tu me trouveras sur ta route.

—Ainsi, maraud, tu es bien celui que je cherche depuis tant d'années ? Crois-tu donc avoir quelque chance contre le comte Gustave, roi du pays d'Ailleurs ? Il te faudra payer pour ta hardiesse et ton impertinence. S'opposer à moi mène tout droit vers la mort.

—Nenni, prince blanc ! N'espère pas me faire peur. L'heure est venue de reconnaître celui qui se dresse devant toi et qui t'imposera l'humiliante défaite qu'exige ton inqualifiable trahison envers messire notre roi et envers toute la race humaine. On ne peut ainsi s'élever contre la volonté des dieux et se croire à l'abri de tout châtiment. Reconnais tes crimes ou expie dans la douleur ton infâme forfaiture.

Tout cela se passa en une fraction de seconde, le temps d'un regard, à l'insu de Mélodie.

Quand ce fut achevé, l'air redevint froid et le ciel aussi noir que du charbon.

Gustave passa son chemin après avoir jeté un regard meurtrier en direction de Mélodie. Il esquissa un geste qui laissa Milan perplexe. Deux doigts dressés comme les pointes d'une fourche s'agitèrent avec une agilité discrète, pointant d'abord son œil droit, sa carotide ensuite, son cœur enfin, dans une grimace chargée de mépris et de menaces.

Quand il se retourna, Milan vit les yeux de Mélodie, ronds avec un élan de peur qui s'enfuit à tire-d'aile comme un oiseau affolé jusqu'au fond de son cerveau. Elle ne tremblait pas, Mélodie. Elle eut juste un raidissement du cou.

— C'est quoi, ça ?

— Quoi, quoi ça ?

— Ce qu'il a fait, le Gus, avec ses doigts ?

Mélodie sortit de son engourdissement. Elle exhibait un immense sourire chocolat. Il y avait la fête dans son regard. Le changement, dans son attitude, était si soudain, si imprévisible, que Milan eut du mal à s'y retrouver. Ils se remirent en marche. Milan lança deux ou trois regards derrière eux pour s'assurer qu'ils n'étaient pas suivis. Il n'avait en tête que ce signe des doigts que le taxeur avait agité sous le nez de Mélodie. Il était presque discret, ce geste, ou du moins silencieux. Et Milan avait vu la peur, un instant, nourrir l'esprit de Mélodie. Il l'avait vue, ça, il en était certain. Mais le Gus avait disparu et maintenant Mélodie avait repris son discours avec sa bonne humeur habituelle. Quand Milan se remit à converser, le sujet venait de dériver sans même qu'il s'en aperçoive.

— Ma grand-mère dit que dormir avec ses vêtements de la journée, c'est traîner ses misères dans les autres mondes.

—Moi, je me couche tout nu, répondit Milan comme pour se donner contenance et aussi, bien sûr, dans l'espoir de choquer.

Le lendemain, il ne se rendit pas en classe. Il s'enferma dans sa chambre et s'abstint de tout mouvement intempestif. Il cherchait la paix du cœur, la sérénité. Il voulait faire taire son esprit. D'instinct, il avait découvert la première vertu des grands chevaliers : le flegme. Ne pas s'agiter, garder son sang-froid, faire preuve de retenue. Se retirer du monde pour mieux agir sur lui.

Pendant les trente-six heures qui suivirent, il se concentra sur sa respiration, vida de son cerveau toute image inutile. Il fixa son regard sur une tache du plafond, puis il s'endormit au petit matin. De longues heures, il se retira ainsi de toute vie, faisant le vide en lui, respirant en cadence avec les battements de son cœur qui peu à peu ralentirent jusqu'à devenir imperceptibles. Alors le repos vint et, avec lui, la force et la paix.

Quand il s'éveilla, Milan vit, sur sa commode, un admirable heaume au ventail tout ciselé. Il s'en couvrit. Aussitôt, son corps fut tout d'un trait revêtu d'une armure étincelante. Sur le bouclier scintillaient les armoiries du roi de Jardinlieu : un écusson bleu marine au centre duquel se dressait une licorne couronnée sur trois lys blancs aux tiges entrecroisées.

L'heure du grand rendez-vous venait de sonner.

Milan se rassit. En se regardant dans le miroir de plain-pied suspendu à la porte de sa garde-robe, il fut surpris de constater que la glace ne lui renvoyait pas l'image de l'armure qu'il avait revêtue un moment plus tôt. Tout ce qu'il voyait c'était son maillot de corps et des bas de grosse laine qui lui couvraient les jambes jusqu'à mi-cuisse. Pourtant, quand il se regardait directement, la cuirasse, la cotte de mailles, le heaume, le bouclier, la dague à son ceinturon et l'épée à la poignée de nacre étincelaient de mille éclats. Il avait bien du mal à distinguer ce qui appartenait à ce monde et ce qui était du domaine de l'autre.

La journée s'épuisa en une longue attente.

Bientôt, dix heures sonnèrent à sa montre. Le moment était venu. La maison reposait dans un silence opaque. Ses parents s'étaient rendus à un concert. Les domestiques avaient gagné leur chambre.

Milan revêtit son anorak, enroula son écharpe, ouvrit la porte donnant sur le jardin et sortit. Il traversa le jardin sans remarquer, à la fenêtre du second étage, Glutamine, la gouvernante, qui le fixait derrière le rideau entrouvert. Elle composa un numéro sur son cellulaire, attendit que les trois sonneries se fassent entendre, puis transmit le signal convenu aussitôt qu'on décrocha à l'autre bout du fil. Elle appuya ensuite sur « end » puis referma son appareil. Elle prit sa valise, son parapluie et quitta la grande maison des Brière de Montigny pour ne plus jamais y revenir.

Elle avait fait ce qu'on attendait d'elle. Il n'était pas question qu'elle demeurât un instant de plus à cet endroit. Aussitôt qu'elle eut franchi le seuil de la porte des domestiques, elle s'évapora dans l'air ambiant, ne laissant derrière elle qu'un petit nuage bleuté.

27

Le retour vers
la Tour de Cristal

IL ÉTAIT DIX HEURES QUARANTE-CINQ quand Milan arriva derrière la maison de Mélodie. Il avait une vue directe sur les extrémités nord et sud de la ruelle tout en restant invisible. Au loin, des voitures splish-splashaient dans la gadoue abandonnée sur l'asphalte par la dernière tempête de neige.

Une sirène d'ambulance s'éleva au-dessus des bruits environnants puis s'éloigna. Quelques éclats de voix enjouées, des portières qui claquaient, des lumières de cuisine donnant sur la ruelle qui s'allumaient et qui s'éteignaient dans l'indifférence générale. Sur trois cordes à linge, des gens, pressés de souligner l'arrivée de Noël, y avaient suspendu des guirlandes de lumières multicolores. Un chat, ou plutôt deux, fouillaient dans un sac de poubelle éventré d'où émergeait un restant de cuisse de poulet au milieu de raclures de pommes de terre.

Onze heures sonnèrent. Bruits furtifs. Rien de plus. S'était-il trompé sur l'heure et la date ? Nous étions pourtant bien le 6 décembre. Rien sur la droite, rien sur la gauche. Les échos de la nuit étaient devenus plus ténus, un velours sur le souffle de l'air glacé. Milan referma son col. Il aurait dû mettre des mitaines ou des gants doublés, et puis de meilleures bottes. Il sautillait pour se réchauffer. Gustave ne viendrait pas. Il avait renoncé.

Onze heures dix. Personne. Un dernier coup d'œil à droite, à gauche. Milan ignorait que le danger viendrait de derrière. Un solide coup sur la tête. Il ne ressentit rien sinon un violent choc électrique qui le paralysa. Il tomba dans un tas de sacs de poubelles qui traînaient à ses pieds.

—Décidément, rugit Gus en voyant rouler le corps de son ennemi dans l'amoncellement d'immondices, t'as une relation très particulière avec les poubelles de ce triste monde !

Gustave fixa sa victime avec un mélange de dégoût et de cruauté. Glutamine avait bien fait son travail, pensa-t-il en ricanant.

Dans un geste de rage, il abattit son pied dans les reins de Milan.

—Je m'occupe de la fille. Mais tu ne perds rien pour attendre. Tu comprendras vite ce qu'il en coûte de se mettre en travers du chemin du comte Gustave.

Le froid qui régnait ce soir-là sur la ville eut au moins le bon côté d'abréger le temps où Milan sombra dans l'inconscience à la suite des coups reçus par son ennemi. Il voulut se redresser, mais ses membres ankylosés eurent du mal à répondre à ses efforts. Il respirait avec difficulté et sa tête semblait sur le point d'éclater.

Gustave venait de sortir de son long manteau de cuir noir une bouteille remplie d'un liquide jaunâtre. Du goulot pendouillait un bout de tissu imbibé d'alcool. Milan le vit saisir un briquet et en faire jaillir une flamme qu'il approcha du chiffon. Celui-ci s'enflamma au premier contact du feu, dégageant une fumée noirâtre qui s'élevait vers le ciel. Il se préparait à lancer son cocktail Molotov quand un violent rugissement le fit se retourner. Milan venait de se jeter sur lui. Il le renversa d'un seul coup de poing. La bouteille échappa des mains de Gus et se fracassa sur le sol gelé. Le feu se répandit aussitôt autour des deux belligérants en un large tapis de flammes bleues.

Milan roula de l'autre côté des flammes pendant que Gustave, rugissant de colère, se remit sur pied au centre du cercle rougeoyant.

C'est alors que la terre s'entrouvrit sous leurs pieds et projeta les deux guerriers dans une chute qui parut interminable. Milan vit une ligne rouge se rapprocher. Puis un frémissement se fit entendre comme s'il venait de traverser une couche d'eau. Cette ligne s'éloigna à une vitesse vertigineuse pendant qu'il continuait sa chute sans savoir où celle-ci se terminerait. Il constata que, plus il plongeait dans ce long entonnoir du temps, et plus Gustave s'éloignait de lui.

—La ligne du temps, marmonna une voix aux oreilles de Milan. Ce que vous avez vu, c'est la ligne rouge du temps, celle qui sépare le passé du présent…

—Bienvenue dans la Tour de Cristal, fit une autre voix.

Milan ouvrit grand les yeux. Il reconnut aussitôt l'endroit où il se trouvait. Il voulut se relever, mais Caresse l'obligea à rester étendu.

—Ne vous précipitez pas, mon jeune maître. Vous êtes encore affaibli par les coups et par votre chute.

—Caresse, mon amie, tu es là ! soupira Milan. Où est le comte Gustave ? Il est tombé en même temps que moi.

Un homme au visage difforme s'approcha et lui fit absorber une boisson chaude.

—Buvez, jeune visiteur. Cela calmera les aigreurs du corps et redonnera de la suite à vos pensées décousues.

Milan ouvrit à nouveau grand les yeux et il s'aperçut qu'il était couché dans grand lit recouvert d'un drap d'une blancheur immaculée. À ses pieds reposaient son armure et ses armes.

—Depuis combien de temps suis-je ici ? demanda-t-il.

— Vous venez à peine d'arriver, lui répondit l'homme en lui tendant une coupe fumante.

Milan but sans envie puis se recoucha, la tête lourde et douloureuse.

Quand il se réveilla, plusieurs heures plus tard, le ciel avait commencé à se couvrir de noir vers l'est. Il se leva. Les douleurs et la fatigue avaient disparu comme par enchantement. Il s'enveloppa dans son long drap blanc. Il s'avança vers le mur et le traversa sans aucune difficulté. Il fit quelques pas sur la longue galerie qui ceinturait le sommet de la tour.

S'y trouvaient déjà Caresse et le vieil homme sans visage. Milan releva la tête et découvrit la longue silhouette d'une dame coiffée d'un diadème d'or : la Dame de la Tour. Elle était figée dans sa pose majestueuse, le regard tourné vers l'est où s'amoncelaient des amas de nuages d'un noir funeste sous lesquels couraient de longs rideaux brumeux. Au travers, scintillaient, dans des vrombissements de grosses caisses, de longs éclairs.

— Qu'est-ce ? demanda Milan. Un orage se prépare-t-il ?

— Nenni, jeune maître. Et ce n'est pas encore la nuit. C'est le Mal qui s'avance vers nous, lui répondit Caresse. Bientôt il s'étendra dans toutes les directions. On dit que la moitié de l'Europe en est déjà couverte. Le pays d'Ailleurs croule sous le poids d'une grande détresse et prie son Dieu pour qu'il le libère de ses tourments. La peste est réapparue un peu partout. La foudre s'est abattue sur toutes les grandes vallées, anéantissant les récoltes. La mer s'agite et lance ses eaux saumâtres à la conquête des terres qui étaient encore fertiles.

La Chienne se tut. Des plaintes s'entendaient dans toute la vallée des Crânes qui ceinture la forêt des Inconstances. Malgré le peu de clarté, on pouvait deviner des masses de corps entraînées dans une bataille que deux armées se livraient. C'est vers elle que se déployaient les regards du dragon noir et du vieil homme.

—Je vous disais que vous ne seriez pas sans armée, fit Caresse en désignant un lieu sombre où se déroulaient des combats sans merci. Admirez les mouvements de nos alliés se lançant à l'assaut des forces ennemies.

Le bruit des chevaux lancés au galop, le fracas des armes, les cris des guerriers, le choc des cuirasses se devinaient à peine en raison de la distance et de la hauteur de la Tour de Cristal où étaient réunis les trois observateurs. Milan était songeur.

—Nous avons pu déterminer avec exactitude l'endroit où la princesse est retenue prisonnière, fit la Chienne. Les Filbringues sont de remarquables espions. Mais c'est sur le champ de bataille qu'ils déploient leurs plus

redoutables qualités guerrières. Ils sont courageux, tenaces, disciplinés et ils possèdent un
sens exceptionnel de la stratégie militaire. Et
pourtant, ce sont les êtres les plus pacifiques
que je connaisse.

— Où se trouve-t-elle ? demanda le garçon.

— La princesse ? Là-bas, au burg des Douves,
dans le lieu dit des Redoutes de Koldar, répondit Caresse. Un lieu terrifiant, entouré de marécages, réputé imprenable. C'est le seul endroit
inaccessible à nos amis Filbringues. Cette
grande bataille qui se déroule sous vos yeux,
mon jeune maître, n'a pour objet que d'en libérer l'accès. Vous êtes le seul qui pourrez vous y
rendre. Là est conservé le coffre du Bien. Nous
savons que le comte Gustave s'y trouve aussi.
Nous n'y avons pas vu trace de dame Jacquemère. L'ombre malfaisante du Dragon Blanc ne
s'est pas encore manifestée, mais ce n'est qu'une
question de temps.

Milan tourna vers Caresse un regard chargé
d'étonnement et de circonspection.

— Mais tu me disais que les dragons ne
pouvaient intervenir dans les affaires des hommes !

— C'est l'oukase des dieux. Mais maintenant que ces mêmes dieux se sont désintéres-
sés de ce monde et que le Mal s'est répandu
sur toute la surface de la Terre, il est difficile
de croire que les serviteurs du Mal en tiendront

compte. Ils ne demeureront pas étrangers à ce conflit bien longtemps encore, conflit qu'ils ont eux-mêmes créé et qu'ils entretiennent avec beaucoup d'inélégance.

— Mais je ne peux combattre à la fois le seigneur Gustave, dame Jacquemère, le Dragon Blanc et tous leurs alliés !

— Dame Jacquemère et le Dragon Blanc ne forment toujours qu'un seul et même personnage, me semble-t-il, déclara l'homme sans visage avec animosité.

— Si la chose vous semble si simple, répliqua sèchement Milan, pourquoi ne l'affrontez-vous pas vous-même ? Il est toujours facile de dire aux autres quoi faire quand on reste en arrière, à l'abri dans sa belle Tour de Cristal.

L'homme se retourna brusquement. Bien que sans visage, il était facile de voir l'état de profonde indignation dans lequel l'avait plongé la dernière réplique du jeune garçon. Il s'avança vers Milan en titubant, le doigt montrant son interlocuteur avec l'envie évidente de le foudroyer.

— Du calme, noble Seigneur de la Tour ! intervint Caresse. Je suis certaine que mon jeune maître n'a pas voulu vous insulter. Excuse-toi, mon garçon ! Excuse-toi rapidement !

L'homme continuait à trembler, le doigt dressé dans un geste menaçant. Milan le fixait avec défi.

—Qu'il s'excuse d'abord ! répondit le garçon. J'en ai assez qu'on me traite comme le dernier des couards à chaque question que je pose. Qu'il s'excuse ou alors ne comptez plus sur moi pour vos sales besognes ! Et je ne parle pas dans le vide !

La voix de l'homme sans visage retentit.

—Petit arrogant sans cervelle ! Si le sort du monde ne se jouait pas en ce moment, je te carboniserais sur-le-champ. Sais-tu seulement à qui tu parles et de quoi je suis capable ? Je suis le gardien de ces lieux, l'oracle du livre sacré ! Sans moi, tu ne serais rien de plus qu'un tas de poussière. Comment crois-tu qu'il t'a été possible d'échapper à la traque du puissant comte Gustave, toi minable vermisseau sans envergure, et aux multiples entraves qu'a fait surgir sur ton chemin la diabolique sorcière du pays de Pandora ? Si je n'avais pas été là pour circonscrire chacun de ses sortilèges, tu danserais sur la musique des anges au paradis des imbéciles. Comment crois-tu que je sois devenu le monstre que je suis, un homme contraint à vivre reclus dans ce lieu de solitude, un homme dépourvu de tout visage ? Tu crois peut-être que je suis né ainsi par la volonté des dieux ? Non ! Ce visage me fut arraché par la sorcière le jour où elle fit abattre par les Macoutes les murs de la citadelle qui protégeaient mon royaume. Elle me captura et m'obligea à renoncer à mon trône, m'arracha le visage pour qu'aucun de mes sujets ne me reconnaisse. Elle se farda de ma peau et se fit passer pour moi, obligeant les Pandoraniens à se soumettre et à abandonner leurs terres. Toujours la tête couverte de la peau de mon propre visage, elle les assura qu'ils ne couraient aucun risque en se soumettant aux forces du Mal. Croyant avoir affaire à leur roi, mes sujets la crurent. Elle leur promit une totale impunité s'ils quittaient le pays sur-le-champ, ce qu'ils firent sans poser de questions. À peine eurent-ils mis les pieds sur le chemin de l'exil, qu'elle les poursuivit et les extermina tous. Je suis le dernier des rois pandoraniens : l'homme sans visage, spectre hideux, condamné à vivre sous le regard dégoûté de mes semblables. J'errais sans but, honni et raillé par le reste du monde jusqu'à ce que la Dame de la Tour me prît en pitié et me prêtât ce refuge pareil à une prison dorée. La douleur, la peur, la solitude, je connais, garçon, au-delà de tout ce que ta triste vie te permettra jamais d'imaginer.

Un immense silence enveloppa l'endroit une fois que l'homme cessa de parler. Un moment, un tremblement s'empara de tous ses faibles membres et l'homme dut se résoudre à s'asseoir pour ne pas tomber. Il avait du mal à respirer.

Caresse intervint d'une voix courroucée.

— Avez-vous tant d'alliés, mon jeune maître, qu'il faille vous aliéner tous ceux que vous
possédez ?

Milan ressentit pour la première fois un
grand inconfort et ne sut quoi répondre. Aussi
se contenta-t-il de s'excuser.

— Mes paroles ont dépassé ma pensée. Je
suis désolé.

— Je n'en serais pas convaincue, Milan, que
je vous aurais déjà foudroyé. Nous sommes à
l'aube d'un temps très court où se jouera le sort
de tous et le vôtre en particulier. Apprenez vite
les rigueurs de l'âme. Ne vous méprenez ni ne
mésestimez ceux qui vous sont proches ; ils
seront votre seul soutien. Venez, regardez !
Fixez vos yeux sur la terre à vos pieds et obser-
vez ceux qui se battent. Ils ne vous connaissent
en rien. Ils n'ont nul rapport avec les Hommes
de ce monde. Les Hommes les verraient qu'ils
les jugeraient indignes de tout commerce avec
eux. Au mieux, ils les refouleraient loin de leur
regard avec mépris et arrogance. Au pire, ils
les détruiraient comme ils le firent avec les dragons rouges, noirs et blancs. Car, en vérité, les
Filbringues sont difformes ; ils répandent une
odeur infecte autour d'eux, marmonnent une
langue incompréhensible et vénèrent des dieux
incompatibles avec les vôtres. Une seule de ces
tares suffit à les condamner au regard des
Hommes. Mais voyez leur courage ! Admirez

leur abnégation ! Aujourd'hui, les Filbringues se résignent à mourir pour que survivent, en cette terre qui fut la leur, les Hommes de toutes les races. Tel est leur destin depuis leur création. Ils ne l'ignoraient pas et n'ont pas cherché à se décharger de leur fardeau.

On entendit alors une grande clameur monter du champ de bataille puis s'éteindre brusquement. Un silence profond s'étendit sur le monde. Le vieil homme se leva. L'air était encore chargé du dernier cri étouffé des derniers belligérants. La bataille était finie.

L'homme sans visage étendit les bras et une chose extraordinaire se passa. On vit s'élever des milliers de corps, amis et ennemis, monter vers le ciel puis disparaître dans la profondeur glacée d'un ciel noir.

28

La forêt
des Inconstances

MILAN SE RETROUVA DEVANT UN PAYSAGE dévasté où sommeillait l'ombre des derniers combattants.

Les silhouettes graciles des arbres dénudés, telles des ombres chinoises, longeaient le chemin sur lequel il avançait, au milieu de la vallée des Crânes. Il était accompagné de Caresse et de l'homme sans visage.

Il cheminait difficilement, son pied butant sur la moraine qui roulait sous la semelle de ses poulaines. Malgré la noirceur, son armure et ses armes brillaient de mille éclats, le signalant de très loin à qui voulait suivre son avancée. Il allait tout en se remémorant les recommandations que lui avait faites la directrice alors qu'ils étaient dans son bureau de l'école Saint-Christophe. Au seul rappel de ce nom, Milan tressaillit.

Comme il était loin ce temps où les gens semblaient appartenir à un monde normal ! Ici, dans cette vallée encastrée entre des montagnes cannelées et cette ténébreuse forêt derrière laquelle se levaient les parois caillouteuses du grand burg des Douves, tout avait l'allure démontée d'un monde en pleine décrépitude. L'odeur même de l'air rappelait à qui le respirait que la mort rôdait.

Milan était tout à ses pensées quand, au loin, un hurlement de bête retentit dans la nuit, éveillant une nuée de corneilles qui prit son envol dans un formidable battement d'ailes.

Émergeant des épais nuages noirs, une pluie de feu s'abattit sur nos trois héros. Milan eut à peine le temps de dresser son bouclier pour s'en couvrir que de gros boulets chargés d'huile enflammée éclataient tout autour de lui et jusque sur son bouclier d'airain. Le souffle des explosions léchait sa peau sans vraiment la brûler et ce fut par miracle qu'il en sortit sans égratignure. Sans égratignure, mais étourdi et affaibli par l'effort et l'absence d'air dans ses poumons. Car l'air semblait tout entier aspiré par le brasier.

Des voix lui parvenaient, à peine audibles, au mieux murmurantes, qui semblaient scander des litanies ou des prières. Elles surgissaient des flammes qui dansaient autour de lui. Des voix suppliantes qu'il suffisait d'entendre sans écouter pour qu'elles vous imprègnent de leur désespérante mélancolie.

Milan ouvrit les yeux. Un pays s'étendait devant lui chargé d'une douce lumière, du parfum des fleurs les plus capiteuses et des arômes des fruits les plus désirables que l'on puisse imaginer.

Milan ressentait la faim et la soif, rien d'excessif, juste impérieuses. À ses côtés marchait la princesse, souriante et libre. Le vent s'emmêlait dans ses longs cheveux noirs. De sa bouche vermeille s'échappait un rire très doux semblable à la cascade d'une eau fraîche. Caresse et l'homme sans visage avaient disparu, la guerre aussi, la peur et les menaces. Ne restait que ce doux sentiment de plénitude et d'exquise satisfaction.

Milan vit la princesse s'arrêter sous les branches pesantes d'un arbre aux fruits savoureux semblables à des pamplemousses. Elle en cueillit un et le lui tendit. Ce fut à ce moment qu'un premier doute surgit dans l'esprit de Milan jusque-là conquis. Il refusa le fruit qu'on lui tendait.

Imperceptiblement, le regard de la princesse se modifia. Ses yeux se chargèrent d'une grande autorité et sa bouche s'affaissa en un début de grimace qui s'affirma davantage quand Milan refusa son offre une seconde fois. Le soleil, qui inondait jusque-là le pays, faiblit. Les joues de la princesse s'affadirent et sur celles-ci se creusèrent de minuscules ridules. Sa bouche se pinça comme l'embouchure d'un sac que l'on ferme en tirant sur une cordelette.

— Viens, mon chevalier ! lui murmurait la jeune fille en essayant de garder le sourire bien que chacun de ses traits se durcissait comme une feuille flétrie à la fin de l'automne. Viens, mon ami ! Repose-toi ! Chasse l'amertume de ton cœur. Croque dans ce fruit. Il assouvira ta soif et ta faim et redonnera à ton corps toute sa force.

Alors Mélodie plaça le fruit juteux dans la main de Milan. Aussitôt, un jus verdâtre s'en échappa inondant la paume de ses deux mains refermées. Milan allait y mordre quand, venue de nulle part, une aile noire recouvrit le soleil. D'un mouvement brusque, elle envoya le garçon rouler hors du cercle de flammes qui se refermait.

— N'écoute pas ces voix ! gronda Caresse en tournoyant au-dessus de Milan. Ne mords pas dans ce fruit ! Ce n'est pas la princesse Mélodie. Fixe son regard, Milan. Fixe son regard.

Bien qu'affaibli, Milan discerna alors, dans les prunelles noires et sans expression de la jeune fille, les reflets des flammes qui le cernaient tout autour. Il laissa tomber le fruit qui se flétrit aussitôt. Alors l'image dressée devant lui se métamorphosa. Apparut dans un jaillissement de lumière aveuglante la sorcière de Pandora qui venait d'abandonner les apparences de la jeune princesse pour reprendre celui de la femme hargneuse qu'elle n'avait cessé d'être. Elle agita une fine lame de métal qui atteignit Milan au front et lui arracha une vive douleur pendant qu'une coulée de sang s'allongeait jusqu'à son menton.

La colère qui habitait la grognasse la fit grandir et grandir encore, jusqu'à ce que ses oripeaux flottent dans le vent chaud du ciel. Ses cheveux en bataille ondoyaient comme des ailes de chauve-souris d'où jaillissaient des serpents emmêlés. Chaque crachat qu'elle échappait de sa bouche se transformait en crapauds et en scorpions aussi noirs que la nuit. Alors, ramassant toute la folie et la rage qui lui consumaient l'âme, l'horrible femme fit jaillir de ses narines dilatées une boule de feu d'une formidable puissance.

Milan eut le réflexe de se protéger. Les flammes atteignirent le bouclier. Milan se crut un moment submergé. Le poids des flammes le tenait cloué au sol, les bras dressés, incapable de bouger, exténué. Il était sur le point de céder quand retentit un hurlement terrifiant. Le poids du feu et sa cuisante chaleur cessèrent. Le regard de la sorcière fut détourné de sa cible.

Milan la vit grimacer d'étonnement et de terreur. Du ciel tombait sur elle l'ombre allongée d'un corps défait, armé d'un sabre. La sorcière voulut se protéger en dressant le bras au-dessus de sa tête. Ce fut en vain. Le coup l'atteignit de plein fouet à la base du cou, tranchant à la fois la tête et le bras dressé. Le sang se répandit sur le sol et les membres détachés de leur corps roulèrent tout près de Milan qui en frissonna d'horreur.

Quand il ouvrit enfin les yeux, Milan aperçut l'homme sans visage debout devant lui, titubant. À ses pieds se trouvait le long sabre dont il s'était servi pour décapiter son ennemie. Il avait les mains refermées sur une dague de laquelle coulait un filet de sang. Elle était plantée dans son ventre un peu sous le cœur. Avant de mourir, la sorcière avait eu le temps d'y abandonner là sa dernière arme dans un geste désespéré.

L'homme sans visage vacilla puis s'écroula à quelques centimètres de l'endroit où se trouvait Milan. Celui-ci le reçut dans les bras. L'homme respirait difficilement. Il tourna les yeux vers le jeune garçon. Milan ne ressentit aucun malaise en le regardant, mais une grande affection à laquelle se mêlaient des élans de compassion et de respect. Il le serrait dans ses bras avec douceur, presque avec tendresse. L'homme était en train de mourir. Milan vit combien le regard de cet homme ravagé était lumineux alors qu'il lui était toujours apparu vide et sombre. Mais là, tout près, Milan voyait. Il y avait d'inscrit au fond de ce regard absent une humanité distraite, mais pugnace et vibrante, telle que Milan n'en avait jamais vu de semblable avant ce jour dans les yeux de quiconque. Le corps, éminemment léger pour celui d'un adulte, était calme. Et bien qu'au bord de l'abîme, il résonnait de toute la vie qui s'enfuyait en dehors de lui, mais sans l'abandonner tout à fait. L'homme vivait, vivant plus en ces quelques secondes que dura son agonie qu'il n'avait vécu le reste de sa vie. Milan eut même l'impression, à un certain moment, que l'homme lui souriait.

— J'ai pu venger mon peuple, murmura le dernier roi du pays de Pandora. Je peux maintenant mourir en paix.

Sans ajouter un seul mot, il laissa s'échapper son dernier soupir puis s'abandonna à la mort.

Milan laissa le corps du vieil homme retomber sur le sol maculé du sang noirci de la sorcière. Un silence profond recouvrait les lieux.

Le corps de la sorcière fut le premier à disparaître, s'enfonçant dans la terre comme une eau de pluie s'asséchant. L'homme sans visage prit le même chemin quelques minutes plus tard alors que Milan était encore penché sur lui. Cela se fit si doucement que Milan ne s'aperçut de sa disparition que lorsque les vêtements du vieux roi furent soulevés par une bourrasque de vent, s'emmêlant aux jupons abandonnés là par la sorcière. Il regarda les vêtements de l'un et de l'autre tourbillonner dans la nuit sombre comme si, unis dans la mort, ils partageaient enfin le plaisir d'une dernière danse macabre.

Caresse était immobile près de Milan. Elle avait repris sa forme canine. Milan se releva.

De là où il était, il ne voyait pas les longues murailles du burg derrière lesquelles se cachait le comte Gustave. Elles étaient dissimulées par l'épais rideau de verdure de la forêt des Inconstances. Milan ramassa ses armes et son bouclier, rabaissa la visière de son casque et se remit en marche.

Plus il approchait de la lisière de la forêt, plus les rumeurs du vent devenaient insistantes et audibles, ne dissimulant plus leurs menaces ni leurs impérieuses imprécations.

— Fuis ces lieux, petit arrogant ! Ne franchis pas la ligne du non-retour, car ni vivant ni mort tu n'en sortiras ! Oublié de tous tu seras. Confondu dans la course du temps, tu tomberas dans une nuit sans fin faite de malheurs et de douleurs sans nom ! Fuis, impétueux ver de terre, si tu ne veux pas mêler ta voix aux nôtres et vivre enfermé à jamais dans le vent de l'oubli ! Fuis !

Milan ne s'était même pas arrêté. Il était allé droit devant lui, sourd à toutes les menaces, insensible à la peur, quand il avait vu se refermer le rideau de végétation, bloquant le passage du sentier qui menait au cœur de la forêt des Inconstances, il s'était ouvert un passage à coups d'épée.

Les branches des arbustes semblaient munies de milliers de bouches qui lui mordaient la moindre parcelle de peau à découvert. Les ronces s'enroulaient autour de ses chevilles, les ramilles d'arbres au nom inconnu lui fouettaient les flancs s'acharnant à vouloir le faire trébucher. Mais la douleur ne le distrayait pas de son but, son pas restait ferme et décidé.

Il allait, sans se soucier qu'il fût seul ou que Caresse l'accompagnât. De fait, la Chienne avait disparu.

Milan allait droit devant, sans remarquer que, tout autour, des centaines d'yeux le fixaient. Plus il avançait, plus les regards se firent nombreux à l'épier, attendant le moment propice pour se jeter à l'assaut.

Du haut de la grande Tour du burg des Douves, le comte Gustave guettait l'avancée de son jeune ennemi.

La princesse Mélodie était à ses côtés, les poignets et les chevilles entravés par de lourdes chaînes.

— Alors, petite sotte ! Crois-tu toujours que ce minable gringalet réussira à échapper à mes

soldats. Crois-tu qu'un enfant puisse impuné-
ment se dresser contre son roi ?

— Vous n'êtes pas son roi, répondit la princesse. Ni le mien. Ni celui du pays d'Ailleurs.
Voyez ce qui est arrivé à la grande sorcière. Le
même sort vous attend.

Gustave se tourna vers la jeune fille. La rage
luisait dans son regard.

— Ne te crois pas à l'abri de ma vengeance
simplement parce que tu es la fille d'un roi sans
couronne. Je n'aurais qu'à serrer un peu plus
les doigts autour de ton cou pour te faire rava-
ler à jamais tes paroles. Ignores-tu que les dieux
ont abandonné ce monde et que leurs lois ne
dictent plus le destin des Hommes ni celui des
bêtes depuis des millénaires ? De maître, ici, il
n'y a plus que moi.

— Vous êtes fou, Gustave ! Fou à lier !

Il empoigna la chevelure de jais de la jeune
princesse puis, d'un coup de pied, fit voler le
grillage d'acier qui recouvrait une large ouverture dans le plancher de la tour.

— Fou, me dis-tu ? Fou, moi ? Mais mille
fois plus folle es-tu ! Vois ceci ! Et demande-toi
si tu as encore le choix de m'obéir.

Il obligea la princesse à se pencher et à
regarder par le trou qui béait sous ses pieds et
ce qu'elle y vit lui arracha un cri de désespoir.

— Père !

29

La cathédrale de pierre

MILAN S'ARRÊTA NET. Ce qui se dressait devant ses yeux lui arracha un hoquet d'étonnement. Il n'avait pas été préparé à une telle vision. Même dans ses pires cauchemars, il n'aurait pu envisager pareille chose.

La nuit était si noire sur le monde qu'il avait du mal à cerner les contours de l'impressionnante forteresse qui dressait ses murailles à moins de deux cents mètres devant lui. Il chercha un endroit où s'asseoir. Il trouva une grosse roche recouverte du feuillage ajouré d'un aulne sauvage. Il retira son heaume et prit une profonde respiration.

Il ferma les yeux et chercha un réconfort qu'il ne trouva pas. Il se demandait encore par quel miracle il avait pu sortir vivant de l'embuscade que lui avait tendue la vingtaine d'hommes d'armes envoyés par le comte Gustave pour l'expédier dans l'autre monde. Tout ce dont Milan se souvenait, c'est qu'ils traînaient, étêtés et démembrés, au cœur de la forêt des Inconstances.

Ce ne fut ni leur silhouette ni le bruit qu'ils émettaient, car ils allaient, silencieux, qui lui firent prendre conscience qu'il était suivi, mais leur odeur. Ces hommes, camouflés sous les branches ravalées des grands saules, diffusaient une putride odeur de charnier. Aussi, quand ils donnèrent l'assaut, ils ne surprirent Milan qu'à demi. Ce dernier ne fut pas tant étonné par l'attaque que par le fait qu'elle se tînt en un lieu si étroit du sentier qu'elle annulait l'avantage que représentait le nombre. Il n'eut qu'à s'appuyer le dos à l'immense rocher de granite qui obstruait le passage pour éliminer la soldatesque lancée à ses trousses. Un à la fois puisque le passage n'autorisait l'avancée que d'un seul homme.

La bagarre dura une heure. Une heure à lancer des coups au hasard, à esquiver les attaques des moins avinés de ses ennemis et à disposer des autres par des esquives improvisées. Puis ce fut le silence. Un silence où se mêlèrent pour un temps le bruit du vent dans les ramilles et le gémissement des mourants.

Il fallut encore une heure à Milan pour reprendre son souffle et quelques forces. Ensuite, il se remit en route, marcha une autre heure pour arriver là où il se tenait à présent.

Devant ces tours immenses, réunies entre elles par une coulée de moraine haute d'une vingtaine de mètres, aucune entrée n'était visible. Les fenêtres se résumaient à d'étroites meurtrières impraticables.

Aucun son ne lui parvenait sinon celui du vent. C'est à ce moment que Milan prit conscience que Caresse n'était plus à ses côtés. La solitude lui pesa plus encore que l'armure qu'il portait comme une deuxième peau.

Il décida d'explorer les alentours dans l'espoir de trouver une entrée. Il contourna la forteresse vers l'ouest sans rien dénicher. En un lieu plus propice, crut-il, il essaya d'escalader la muraille, mais chacun de ses pas le ramenait vers le bas, en raison de la forme arrondie des pierres qui roulaient sous ses pieds. Il comprit vite que ces parois abruptes étaient inaccessibles.

Il leva sa visière et lança son regard à la recherche d'un passage. Il trouva une montée de terre battue sur sa droite qui semblait contourner l'immense digue de pierres. Il se mit en route, toujours confronté à l'obsédant silence qui régnait sur la plaine comme une présence sournoise et sans nom.

Milan s'avançait presque à tâtons tant la nuit devenait sombre et brumeuse. Il lui était impossible de voir où il allait ni sur quoi il posait le pied. À deux reprises, il s'étendit de tout son long en glissant sur une plaque de terre poisseuse ou sur la moraine des hauts talus. Il quitta bientôt le sol rocailleux et s'enfonça à l'abri dans la forêt.

Il marcha un long moment. Il avait l'impression que la forêt se refermait à nouveau sur lui et l'enveloppait de ses ombres. Il lui fallut bientôt recourir à son épée pour se frayer un chemin dans les herbes hautes qui jaillissaient d'un sol de plus en plus fangeux. Il devint évident que le chemin côtoyait une région de marécages et qu'il s'éloignait du burg que Milan tentait d'atteindre.

Au début, les bruits lui parvinrent confusément. Il les mit d'abord sur le compte du vent qui balayait la plaine de violentes bourrasques. Mais il dut admettre bien vite que ces bruits ne devaient rien au vent, qu'ils avaient quelque chose de singulier et de menaçant. Comme des lapements, des bruits de gorge semblables à des grognements retenus. Des bruits de pas aussi, mais à peine entamés, très discrets.

À plusieurs reprises, il s'était arrêté pour examiner les frondaisons. Rien de tangible ne s'en détachait sinon la certitude sournoise qu'il était à nouveau suivi. Mais la dernière fois qu'il se risqua à regarder derrière lui, il resta pétrifié d'horreur. Une tête saillait d'un buisson, poilue, la bouche baveuse.

— Des loups, gémit-il avec effroi.

Milan n'avait guère d'endroit où se cacher. Le sentier traçait à cet endroit une mince ouverture dans les futaies d'aubépines et de ronces géantes qui encombraient le sol de la forêt. Trois, puis quatre, cinq, huit, dix autres bêtes se joignirent bientôt à la première, le cernant de toutes parts, n'attendant que le signal du chef de la meute pour se jeter sur lui.

Milan avait du mal à respirer, la sueur inondait son visage et alourdissait chacun de ses mouvements. Armé de son épée et de sa dague, il reculait en fixant toute son attention sur la plus grosse des bêtes, la première à avoir manifesté sa présence. C'était le chef à n'en pas douter, le loup dominant.

La bête avançait à présent en dessinant un demi-cercle, la tête inclinée, les oreilles rabattues, le collier de poils de sa nuque dressé dans une attitude de menace confirmée. Le grognement roulait dans sa gueule derrière les crocs luisants de bave. Les autres restaient deux ou trois pas derrière le loup de tête, mimant sur celui-ci l'attitude du corps et les bruits de gueule.

Milan tenait la bête à distance avec des coups d'épée lancés au hasard. Mais il savait que ce n'était plus l'affaire que de quelques secondes avant que la meute ne se jette sur lui pour la curée. Son armure lui servirait sans doute à se défendre contre les premiers coups de gueule, mais elle ne suffirait pas à retarder longtemps l'inexorable dénouement... À moins… À moins qu'il ne réussisse à tuer le loup dominant.

Il avait entendu bien des histoires racontées par des chasseurs durant les foires de la Cité, au marché ou lors des grands tournois, qui prétendaient toutes que le seul moyen d'échapper à une attaque de loups consistait à éliminer, dès les premiers instants, le chef de la meute.

Telle fut donc la décision de Milan : ignorer les loups subalternes et porter toute son attention sur le chef. De toute façon, les autres n'auraient jamais l'audace de s'en prendre à lui les premiers. Il appartenait au maître de porter les premiers coups.

Milan continua à reculer en tenant à distance le loup de tête. Chaque coup d'épée éveillait la rage dans le regard de la bête, mais aussi sa prudence, l'obligeant à battre en retraite chaque fois d'un pas ou deux, laissant ainsi une certaine marge de manœuvre au garçon.

Bientôt, il sentit quelque chose de dur obstruer le passage. Un coup d'œil rapide lui fit entrevoir un immense rocher de grès haut de plusieurs dizaines de mètres et se prolongeant très loin au cœur de la forêt, donnant naissance à un long plateau dénudé. Le sentier s'arrêtait là.

L'escalade de cette paroi de roche crayeuse constituait la seule issue possible.

Il mit le pied sur une langue de roche émergeant des terres boueuses et glissa. Ce fut l'instant qu'attendait la bête pour lancer son attaque. Elle fut foudroyante. Sa gueule se referma sur le bras de Milan qui en perdit son épée. Malgré trois tentatives, il ne put la reprendre. Heureusement, son armure le protégea de la morsure. De sa main libre, il frappa la bête trois fois sur le museau, lui faisant lâcher prise dans un grognement sinistre. Milan en profita pour terminer son escalade et se retrouva à califourchon sur une arête qui montait en saillie, masquant une profonde anfractuosité. Il la vit à la dernière seconde et ne put rétablir à temps son équilibre.

Il chuta d'une dizaine de mètres et se retrouva au fond d'un puits béant. Il atterrit sur le dos. Des douleurs effroyables lui parcoururent le corps comme s'il était tout entier soumis à une violente décharge électrique. Ses yeux s'emplirent de larmes, il frissonna et faillit perdre conscience.

Le loup s'approcha sur le rebord du grand trou en grognant puis, voyant sa proie immobile au fond, il risqua la chute à son tour. Milan le vit surgir dans la nuit et eut tout juste le temps de rouler sur le côté. Il retira la dague de son étui et, d'un geste vif, sans aucune hésitation il la planta sous le sternum du loup. La bête gémit en lâchant un terrible jappement qui se perdit dans l'écho froid de la caverne.

Elle battit de la tête, puis tout son corps désarticulé s'effondra, inerte, foudroyé par une mort qu'elle n'attendait pas. Elle gémit quelques secondes puis ce fut tout.

Toujours assis, Milan recula jusqu'à ce que son dos rencontrât une surface dure où se poser. Il laissa son regard errer vers l'ouverture béante, dix mètres plus haut.

Pendant de longues minutes, il resta immobile, évitant de signaler par le moindre bruit sa présence au reste de la meute qui tournait autour du trou, risquant parfois un regard perplexe. Il écouta leurs plaintes se confondre au bruit du vent, puis le silence se fit bientôt. Les loups avaient battu en retraite et ne reviendraient plus.

Milan relâcha son attention et profita de ce moment pour vérifier qu'il n'avait rien de cassé. Bien que très endolori, son corps semblait intact. Il voulut se relever, mais ses jambes se dérobèrent. Il laissa sa tête reposer contre la paroi du mur sur lequel il avait le dos appuyé. Il retira son heaume, sa cuirasse et sa cotte de mailles et se mit à respirer avec plus de facilité. Il s'abandonna ensuite au sommeil.

Combien de temps il dormit ? Il n'en savait rien. Le ciel qui perlait au-dessus de sa tête par le trou de la caverne n'avait pas changé : noir qu'il était et chargé de lourds nuages. Milan se sentait tout de même plus reposé et le mal de tête avait disparu. Son regard se posa sur le corps du loup qui était à présent froid et rigide. Milan frissonna. Les souvenirs des dernières heures affluèrent dans son esprit et le dépit s'empara de lui. Il se demanda comment il allait se sortir de cet endroit.

Il réussit à se remettre sur ses jambes. Le sol était dur et il s'aperçut, malgré la noirceur ambiante, que le plafond couvrait une immense surface ce qui lui fit comprendre que cette salle était beaucoup plus grande que ce qu'il avait d'abord cru. Les murs étaient lisses, aucun stalagmite ne saillait du sol ni de stalactites ne tombaient du plafond. Cette grotte n'était donc pas très ancienne.

À tâtons, explorant avec les mains plus qu'avec les yeux, risquant un pas de plus après avoir vérifié la solidité du sol sur lequel il posait le pied, il découvrit que le sol présentait une pente descendante douce mais très nette, sans aucun caillou ni débris pour en obstruer le passage. Il se dit que ce chemin aujourd'hui à sec avait dû, à d'autres moments, être parcouru par un cours d'eau souterrain assez puissant pour en nettoyer tout le lit et en évacuer tous ses débris.

« Et si l'eau n'y est plus, pensa-t-il, c'est qu'elle s'est écoulée. Cette grotte a donc une sortie qui mène soit à l'extérieur, soit à un vaste réservoir. »

Tout en avançant, il regrettait son épée. Sans elle, il se sentait nu et désemparé. Sans compter qu'il aurait pu s'en servir comme d'une canne pour explorer le chemin. En lieu de quoi, il hésitait à chaque pas, cheminant sans très bien connaître la qualité du sol sur lequel il posait le pied.

Bientôt, il découvrit une chose étrange. Le plafond, loin devant, semblait balayé par des ombres qui coloraient sa surface. Ce n'était pas encore de la lumière, mais ce n'était déjà plus la noirceur totale. Cela lui rendit un peu de son courage, un courage tiédi par le fait qu'il était tout fin seul.

Depuis que l'homme sans visage était intervenu pour s'opposer à la sorcière de Pandora, Caresse n'avait plus donné signe de vie. Et cette absence lui pesait. Toute cette aventure, il l'avait vécue avec sa Chienne ; sans elle, il se sentait orphelin. Et d'une pensée à l'autre, il se rappela ses parents, sa mère Majorie et son père Horace. Ces pensées alourdirent son pas. Que faisait-il, seul, dans cette caverne ? Après quel destin courait-il ? Qu'imaginait-il trouver au bout de ce chemin aveugle, sinon la mort ?

Milan s'effondra à l'endroit où il était et il se mit à pleurer. Il était à nouveau à bout de forces, désespéré, pétri de doutes et de peurs. La solitude lui pesait comme une chape de plomb.

Soudain, un souvenir lui revint. Il tâta la surface de son torse et celle de son crâne. Il lâcha un cri de rage. Il avait omis de revêtir sa cuirasse. Son heaume, sa cotte de mailles et sa dague étaient restés à l'endroit où reposait le cadavre du loup, bien loin derrière lui. Il y avait plus d'un demi-heure qu'il tâtonnait dans le noir, il n'avait pas le courage de revenir sur ses pas.

Cela acheva de le décourager tout à fait. Il n'avait plus d'épée, plus de dague, plus de bouclier, plus de cotte de mailles, plus rien. De plus, il était prisonnier d'une grotte sans sortie, privé de ses principaux alliés et loin, très loin du but qu'il croyait tantôt avoir atteint quand il se tenait debout devant les murailles de moraines qui entouraient le château du comte Gustave.

Il était clair que le sentier de terre qu'il avait suivi l'avait détourné du burg. Il s'était enfoncé beaucoup trop profondément dans la forêt et il avait perdu tout repère. Et maintenant, ce chemin creusé dans les entrailles de la terre par une ancienne rivière souterraine le conduisait vers l'impasse, et plus loin encore : sur le chemin du désespoir !

Un cri se fit alors entendre, ce qui le fit sursauter. C'était le cri d'une femme. À travers la longue plainte, un mot se détachait de tous les autres : « Père ! ». Une femme, une très jeune femme implorait son père. Il n'y eut pas de réponse à ce cri déchirant sinon un rire cruel qui se répercuta sur les murs de la caverne avant d'atteindre les oreilles de Milan.

Il en eut la certitude : c'était le cri de la princesse Mélodie qui se mêlait au rire du comte Gustave. Aussitôt, Milan se remit en marche, accélérant le pas malgré la noirceur ambiante. Sans en avoir tout à fait la certitude, il avait l'impression que le cri provenait de la source de lumière.

Après quelques minutes, il aboutit dans une salle où saillaient du sol et du plafond d'immenses cierges de pierre. La salle s'ouvrait sur un gigantesque réservoir d'eau d'une clarté limpide. Bien que le fond fût visible, il était clair qu'il s'enfonçait de plusieurs dizaines de mètres sous la surface. Milan mit bien du temps à trouver la source de la lumière qui émanait des murs de cette gigantesque cathédrale minérale.

Sur presque toute l'étendue des parois, il découvrit un tapis de minuscules êtres translucides qui remuaient du popotin. Chacune de ces millions de créatures émettait, par intermittence, une violente décharge électrique créant ce champ luminescent. La lumière rebondissait sur la surface du bassin pour se répandre ensuite en grandes voiles sur les plafonds des différentes chapelles qui composaient l'ensemble de cette vaste caverne.

Mais ce qui attira le plus l'attention de Milan, tout au moins quand il la découvrit, ce fut cette grosse cage de bois retenue depuis le toit de la grotte par quatre longs câbles. Elle était immobile et lui sembla vide. Milan étira la tête vers l'arrière pour examiner le plafond au-dessus de lui et il découvrit une trappe fermée par une grille. De là, tombait un rayon pâlot et jaunâtre qui éclairait à peine le haut de la cage. C'est de là sans doute que lui était parvenu le cri de la princesse. Milan se trouvait, contre toute attente, sous le burg du comte Gustave.

Il chercha une issue. Mais il eut beau ausculter chaque mur, examiner avec le plus grand soin chaque recoin de la cathédrale, il n'en trouva aucune. Le seul accès au château était cette trappe qui se trouvait une trentaine de mètres au-dessus de sa tête. Et encore y avait-il là une grille très lourde qui en obstruait le passage. Sans compter qu'il n'y avait aucun moyen de la joindre, à moins que, par le plus improbable des hasards, une paire d'ailes lui poussât illico dans le dos, ce qui présentait une éventualité sur laquelle il ne pouvait compter.

Il maudit l'absence de sa chienne Caresse. Elle, elle possédait le pouvoir de voler ! Elle, et elle seule aurait pu le sortir de cette terrible position. Mais Caresse n'était pas là et il était inutile d'user ses forces à la maudire, ça ne réglerait rien à son problème.

N'ayant aucun moyen d'atteindre la seule sortie qui s'offrait à lui, Milan décida bien malgré lui de rebrousser chemin et de retourner à son lieu de départ. Là, il retrouverait au moins les armes qu'il y avait abandonnées et réfléchirait au moyen de se sortir de cette mauvaise passe.

Il s'apprêtait à tourner les talons quand il entendit une plainte. Oh ! Toute petite, la plainte, à peine murmurée. Milan leva les yeux. Quelque part, un homme respirait.

30

L'homme de la cage

L A CAGE S'ÉTAIT MISE À SE BALANCER DOUCE-
MENT. En regardant bien, Milan aperçut
une tête qui dépassait du plancher. Bien
qu'il en fût très éloigné, il n'eut aucun doute
sur l'identité du prisonnier : c'était le roi de
Jardinlieu.

Milan escalada le mur de droite et atteignit
une plateforme où il put se tenir accroupi. Son
attention se porta sur la cage où était étendu le
roi, en guenilles et sale, la barbe et les cheveux
si longs et si emmêlés qu'il était presque impossible de discerner ses traits. Il avait des fers aux
poignets et de longues chaînes le retenaient aux
ferrements de la cage. Le plancher était tapissé
de croûtons de pain moisi, de saleté et d'excré-
ments.

Milan chercha à attirer l'attention du prisonnier en l'appelant par son nom, en lançant
quelques cailloux dans sa direction, mais rien
n'y fit. Le roi de Jardinlieu demeurait immobile. Seule une légère plainte sourdait, par moments, de sa cage thoracique. Sa tête dodeli-

nait doucement ; c'étaient les seuls signes de vie qu'émettait le pauvre homme.

Milan remarqua, aux pieds du prisonnier, un cruchon d'eau et un quignon de pain à peine entamé. On lui avait livré cette pitance voilà peu. Or, il n'y avait nul passage qui semblait mener à la cage. Il leva les yeux et examina les câbles qui retenaient cette prison au plafond de la cathédrale et observa qu'il n'y avait aucun mécanisme de remontée. Alors, par où passaient les gens qui venaient nourrir le prisonnier ? Il fallait bien qu'ils soient en mesure de s'approcher de la cage pour y déposer la nourriture et le cruchon d'eau !

Milan perçut un léger frémissement souligné par un piaillement à peine perceptible venu de la gauche. À une vingtaine de mètres de l'endroit où il était perché, il vit s'échapper d'une large anfractuosité une colonie de chauves-souris qui monta vers l'ouverture dans le plafond et disparut en traversant les mailles de la grille de fer qui obstruait le passage.

La paroi était très abrupte et l'ouverture semblait impossible à atteindre de l'endroit où il se trouvait. Milan n'hésita pas une seconde. Il recula jusqu'à ce que son dos prenne appui sur le mur de pierres derrière lui afin de se donner un élan. Il voulait atteindre d'un bond une entaille dans la roche qu'il venait de découvrir à deux mètres de lui. Et c'est là qu'une chose étrange se produisit.

Aussitôt que son dos heurta le mur de pierres, une grosse roche s'enfonça, révélant une entrée assez grande pour donner passage à un homme de moyenne stature.

Il se redressa, réunit ses dernières forces puis poussa sur l'immense pierre afin d'agrandir l'ouverture.

Derrière s'élevait un long escalier qui menait sans doute au burg, plusieurs dizaines de mètres plus haut. Mais Milan n'en était pas certain, car l'escalier se perdait dans le noir. Une odeur d'huile témoignait que le passage devait être sans aucun doute éclairé par des lampes accrochées aux murs, mais Milan n'en vit aucune.

Cependant, il découvrit, appuyée contre le mur, une longue traverse de bois, munie de crochets et de câbles sur chacun des côtés. Ceux-ci devaient sans doute servir de garde-fou pour la milice chargée de nourrir le prisonnier. Milan se rendit compte aussi qu'elle était attachée à des rails et qu'il suffisait d'une légère poussée pour déplacer l'attirail.

Il put faire coulisser la passerelle sur ses rails sans grandes difficultés. Il dut interrompre son travail à quelques reprises en raison des grincements stridents qu'émettait l'engin. Il tendit l'oreille pour s'assurer que le bruit n'ameutât pas les occupants du burg. Rien. Rassuré, il reprit son travail en priant le ciel que tout fonctionnât selon ses attentes. Il ne fut pas déçu.

Deux minutes plus tard, il se trouvait devant la cage. Les crochets de la passerelle s'étaient ancrés avec facilité dans les attaches qui saillaient du bord de la cage. Milan n'avait eu qu'à marcher pour atteindre la porte. Celle-ci était verrouillée par un énorme cadenas qu'il fit sauter d'un seul coup de pierre. Une fois à l'intérieur, Milan se rua vers le prisonnier.

L'odeur était insupportable. Milan prit quand même le temps de soutenir la tête du vieux roi. Il écarta les cheveux du visage émacié et lissa les poils de sa barbe. D'un coup de pied, il envoya promener le quignon de pain qui trônait sur le cruchon d'eau. Il renifla pour s'assurer que l'eau était toujours potable. Elle était fraîche et claire. Il en versa sur les lèvres gercées du pauvre homme. Celui-ci eut la force de les entrouvrir et de laisser le liquide s'écouler dans son gosier desséché. Il but quelques gorgées puis écarta les paupières, laissant apparaître des yeux rouges et dilatés.

—Qui êtes-vous ? demanda-t-il d'une voix à peine audible.

—Mon nom ne vous dira rien, Majesté. Je suis le garçon qui a aussi entendu le son des cloches. Rappelez-vous ! Je m'étais accroché à votre carrosse quand le comte Gustave vous a fait quitter le pays d'Ailleurs pour cet exil de disgrâce.

Le roi ferma les yeux. Cette affirmation ne semblait éveiller en lui aucune réminiscence. Épuisé, il allait à nouveau sombrer dans l'inconscience dans laquelle le maintenait son extrême faiblesse quand Milan l'en sortit en le secouant avec vigueur.

— Mon roi ! Vous ne pouvez vous rendormir. Le temps nous est compté. Je ne peux pas tout vous expliquer. Je suis venu vous sauver. Il faut sortir au plus vite d'ici. Je vais vous aider. Mais il vous faudra faire quelques efforts. Pouvez-vous vous tenir sur vos jambes ? Majesté, reprit Milan d'une voix rude, il faut vous redresser.

Tout en parlant, le jeune garçon frappait à grands coups de pierre sur les chaînes qui retenaient les bras du prisonnier attachés aux barreaux de la cage. Les chaînes cédèrent l'une après l'autre.

— Nous devons franchir une traverse de bois et atteindre l'entrée d'un escalier. Là, vous pourrez reprendre des forces. Venez. Je vous soutiendrai, mais il faut partir sans tarder.

L'homme avait entendu ce que Milan venait de lui expliquer, car il chercha à se mettre sur ses jambes. Mais celles-ci n'avaient plus la force de le soutenir. Elles se dérobèrent et l'homme chuta sur le plancher. La cage se mit alors à se balancer. Du plafond, on entendit un crissement menaçant. Il fut suivi d'un pop sourd produit par un des anneaux qui retenaient les câbles au plafond de la cathédrale. Il venait de céder sous le poids de la surcharge exercé par le balancement de la cage. Le cordage siffla en tombant et fouetta le côté droit de celle-ci. Le coup fut si violent qu'il arracha un des crochets qui rattachaient la passerelle à la cage. Celles-ci se mirent de concert à tanguer. Tout risquait de basculer dans le vide d'un moment à l'autre.

L'homme retrouva ses esprits une fraction de seconde et ce fut le moment choisi par Milan pour le soulever sans ménagement. Alors que les deux hommes rejoignaient la passerelle, un deuxième anneau céda à son tour entraînant la chute d'un deuxième câble qui alla s'abîmer dans les eaux claires du lac.

Le roi, conscient de la précarité de leur situation, faisait tous les efforts pour ne pas être trop lourd. Mais il était si faible qu'il n'avait d'autre choix que de se retenir aux épaules du garçon. Milan laissa retomber son regard vers le dernier des deux crochets qui retenait encore la passerelle à la cage. Il semblait tenir bon. Mais saurait-il résister au poids de deux hommes ? Ça, Milan l'ignorait. Comme il ignorait comment il allait s'y prendre pour garder son équilibre alors que le plancher de bois était à présent tout de guingois.

L'hésitation de Milan fut de très courte durée. Des débris provenant du plafond lui firent comprendre qu'un troisième anneau était sur le point de céder. Ce ne fut pas le courage qui le poussa à agir, mais le désespoir. Il retira sa main de la taille du vieillard et accrocha ses doigts au ceinturon du roi. Puis il se mit à courir.

Les débris qui pleuvaient tout autour d'eux, lui firent prendre conscience que ce n'était plus seulement un anneau qui se détachait, mais toute une partie du toit qui était en train de tomber sur eux. Des pierres grosses comme des citrouilles filaient de chaque côté d'eux. L'une d'elles se fracassa sur la passerelle et brisa net le dernier des crochets qui retenait la passerelle à la cage. Cette dernière fut secouée puis s'abîma dans un craquement sinistre au milieu des flots verts du lac, dix mètres plus bas. La passerelle prit le même chemin, entraînant le vieux roi dans sa chute. Milan avait pu atteindre la plateforme et s'y maintenait par la seule force de son bras droit qui s'était attaché autour de la colonne d'une stalagmite. De sa main gauche, il tenait toujours le ceinturon du roi. Il chercha en vain à remonter le roi.

Milan réussit à rétablir sa position sur la plateforme en s'assoyant, les deux jambes écartées autour de la chandelle de roche. Il put alors libérer sa main droite et empoigner celle du roi. En tirant de toutes ses forces, il réussit à remonter le roi qui s'écroula, épuisé, sur la plateforme.

Les deux hommes restèrent étendus de longues minutes pendant que les derniers débris terminaient leur chute dans les flots troublés du lac souterrain.

Ils auraient sans doute souhaité, l'un et l'autre, bien plus de temps pour se remettre de leurs émotions, mais les événements ne leur laissèrent pas les moyens de s'attarder très longtemps. Un martèlement de pas au-dessus de leur tête les convainquit que le bruit produit par l'écroulement du plafond, conjugué à la chute de la passerelle et de la cage dans le lac, avait fini par ameuter les habitants du burg. On accourait de partout et le bruit des armes qu'on dégainait témoignait du danger qui les menaçait. Un cri déchirant transperça tous les autres.

Le roi de Jardinlieu resta pétrifié. Il jeta un regard désespéré en direction de Milan qui le dévisageait.

—Ma fille ! murmura-t-il en proie à une vive émotion. Ma fille, eut-il la force de hurler avec désespoir.

Milan le retint de tenter de monter l'escalier.

— Majesté, vous êtes trop affaibli pour tenter quoi que ce soit. Nous devons quitter cette
caverne. L'ennemi est…

Milan n'eut pas le loisir de terminer sa
phrase. Comme pour lui donner raison, une
porte lourde, qui fermait le haut de l'escalier,
s'entrouvrit. Des voix criardes envahirent le
long tunnel.

— Venez, Majesté ! Venez ! cria Milan en
entraînant le roi dans sa fuite.

Il referma derrière eux la porte de pierre et
chercha un moyen d'empêcher qu'on ne l'ou-
vrît de l'intérieur. Il trouva, coincé dans la roche,
un large morceau de bois que la passerelle avait
abandonné dans sa chute. Il l'arracha, le ficha
sous la porte et l'y coinça fermement.

— Ça devrait les retenir un bon moment,
lança-t-il avec un drôle de rire.

La descente fut laborieuse et lente en raison de l'état de santé du roi et de ses forces
dérisoires. Il leur fallut s'arrêter presque à chaque pas pour reprendre leur souffle et s'assurer que l'un et l'autre s'entendaient sur les
gestes à poser. Dix minutes plus tard, ils attei-
gnaient le plancher de la cathédrale.

Malgré son envie de continuer, Milan dut
se résoudre à faire halte, afin de permettre au
roi de retrouver un peu son souffle. Il lui fit
boire l'eau fraîche du lac et le laissa se reposer

quelques minutes. Pendant ce temps, les coups redoublaient dans l'escalier.

Milan demanda au roi s'il pouvait se remettre en marche, celui-ci lui fit signe que oui. Ils prirent par la gauche en contournant l'immense lac. Le sol glissant rendait l'avancée difficile. Mais le principal danger vint à nouveau du haut quand une pluie de flèches s'abattit sur eux. C'est par miracle qu'aucune ne les atteignit. Mais cette attaque les obligea à battre en retraite derrière un monceau de pierres.

— Nous ne pouvons pas rester ici, Majesté. Nous serons bientôt faits comme des rats si nous nous attardons. Si j'ai pu venir jusqu'ici, c'est en raison de la découverte fortuite d'une entrée secrète. Si j'ai trouvé cette entrée, sans doute le comte la connaît-il aussi. Il veut nous prendre en cisaille. Il veut que ses hommes nous retiennent ici pendant qu'il envoie le reste de sa meute par le couloir que j'ai emprunté. Cela signifie que nous devons absolument sortir d'ici et, pour cela, la seule issue possible est d'avancer droit devant nous. Il nous faudra courir et prier que les hommes du comte ne sachent pas tirer. Vous êtes prêt, Majesté ? C'est maintenant ou jamais. À trois ! Un… Deux… Trois ! Courez, Majesté, courez !

Par quel miracle purent-ils atteindre sans encombre l'entrée du couloir ? Nul ne le sait, mais toujours est-il qu'ils l'atteignirent.

Ils prirent deux minutes pour que le roi recouvrât ses esprits et son souffle. Il fixait Milan d'un regard chargé de reconnaissance et d'admiration. Mais en même temps, ses yeux renfermaient une grande fatigue, presque de l'épuisement, et aussi une grande tristesse.

— Ne craignez rien, Majesté. Je trouverai le moyen de sortir la princesse vivante des griffes du comte Gustave. Je vous en fais le serment ! Je sais que je vous en demande beaucoup, mais il faut quitter cet endroit séance tenante. Appuyez-vous sur moi.

Milan voulut se remettre sitôt en marche, mais la main du roi le retint.

— Vous n'y arriverez pas, mon ami. Pas en me traînant derrière vous comme un boulet ! Laissez-moi et partez. Sauvez ma fille. C'est tout ce que je vous demande !

— Mais Majesté…

— Fuyez ! C'est un ordre !

Milan regarda son roi droit dans les yeux.

— Majesté ! Voilà bien le seul ordre auquel je refuserai toujours d'obéir ! Devrais-je pour cela vous porter, nous sortirons tous deux d'ici sains et saufs.

Un court silence tomba sur leur discussion. Un pâle sourire éclairait le visage du vieux monarque quand il reprit la parole.

— Dans ce cas, chevalier, vous n'aurez pas à le faire. Je me porterai tout seul et nous sortirons d'ici vivants tous les deux et en bonne santé… Mais avant de nous mettre en mouvement, dites-moi pour quelle autre raison le comte Gustave cherche-t-il à nous prendre à revers.

Milan rendit son sourire à son roi avant de lui répondre.

— C'est qu'il y a une autre entrée au château, mon roi. Il y a une autre entrée, simplement.

31

La seconde entrée

Après quinze minutes d'une course aveugle dans les boyaux de la terre, ils furent contraints de s'arrêter. Le roi, qui n'était déjà pas très fort, s'était mis à tousser et à cracher. Milan craignit un moment que ses poumons ne lui sortent par la bouche. Il dut lui masser le dos et l'étendre sur le plancher froid pour qu'il puisse récupérer.

S'ils ne trouvaient pas bientôt une sortie, le roi était condamné. Milan prit une décision. Il demanda au roi de rester sur place. Il lui expliqua que, pour leur salut, il devait partir en éclaireur chercher un débouché vers l'extérieur. Le roi donna son accord et Milan se mit en route.

Il marcha rapidement malgré la noirceur ambiante. Non loin de là, il fit halte devant un mur d'où débouchaient trois tunnels. Il décida d'explorer celui de droite. Après une centaine de pas, le tunnel s'arrêtait brusquement. Un immense mur de pierres en obstruait le passage. C'était un cul-de-sac. Pris de découragement,

Milan s'appuya contre le mur humide pour reprendre son souffle et son courage. Il laissa sa tête retomber vers l'arrière jusqu'à ce qu'elle trouve un appui. Elle rencontra alors un léger renflement dans la pierre. L'objet qui saillait n'était pas de la même consistance que le reste de la paroi. On aurait dit un ferrement.

Milan poursuivit son exploration ; il découvrit un autre ferrement, environ un mètre sous le premier. Puis un mètre plus bas, toujours dans le même axe, un troisième. À une main sous le dernier ferrement, une longue fissure dans le roc s'élançait en ligne droite sur un mètre, puis se prolongeait à la verticale et vers le haut. À mi-chemin, une serrure à chevillette sans cadenas. Une porte en bois. Milan essaya de l'ouvrir. Elle résista. Sans doute la rouille avait-elle investi les pentures et rendait-elle difficile les mouvements sur les chevilles de fer. Ou alors c'était l'humidité qui avait fait se gonfler le bois qui s'était alors soudé au seuil.

Pendant dix minutes, Milan poussa comme un déchaîné. La porte résista à toutes ses tentatives. Il eut beau y mettre toutes ses forces, rien ne bougea. À peine une petite vibration. Milan s'écroula, épuisé, le corps en nage. Rien à faire avec cette maudite porte.

Et le temps passait. Il devait retourner vers le roi. Il revint donc sur ses pas en veillant à bien reconnaître le trajet.

Le roi semblait en meilleure forme. Tout au moins le laissait-il croire. Après de courtes explications, le roi se releva non sans difficulté. Puis, tous les deux se remirent en route vers la porte.

— Vous êtes certain de votre fait, mon ami ? demanda le roi d'une voix calme, après que Milan se fut à nouveau éreinté à vouloir ouvrir cette satanée porte.

Il était à bout de souffle et de patience. À peine parvint-il à retenir un élan de colère au moment de répondre.

— Que voulez-vous dire, Majesté ?

— Que cette porte est bien celle que nous cherchons ?

— Pour le savoir, encore faudrait-il qu'elle daigne collaborer un peu et accepte de s'ouvrir… Mais pour répondre à votre question, disons qu'on ne met pas une pareille porte à trente mètres sous terre pour le simple plaisir de faire joli.

— En effet, mon garçon ! Vous avez raison. Alors, si au lieu de vous acharner à pousser, vous la tiriez vers vous, cette porte, peut-être se montrerait-elle plus accommodante. Non ?

Milan s'arrêta net de respirer. Le roi avait raison ! Tirer au lieu de pousser, c'était si simple !

« Si les pentures sont à l'extérieur, petit imbécile, c'est que cette maudite porte s'ouvre vers l'extérieur et non vers l'intérieur. Comment ne pas y avoir pensé avant, bougre de crétin ! »

Il enveloppa sa main du fin lainage de son chandail pour la protéger et se donner une meilleure prise sur la tige rouillée et humide qui servait de clenche.

Milan tira. Grincement ! Mouvement, résistance, mouvement, résistance. Puis la porte s'ouvrit. Les deux hommes se précipitèrent dans l'ouverture. Ils refermèrent la porte, en la tirant, cette fois, vers l'intérieur. Milan entendit la clenche retomber dans le pêne.

Une odeur de chandelle brûlée mêlée à celle de viande fumée, de pain et d'épices, de vin aussi, d'huile, de fruits et de légumes leur chatouilla les narines. Ils venaient de déboucher dans le garde-manger du château.

Milan ne put retenir un éclat de rire nerveux. Il avait donc eu raison : une deuxième entrée au burg existait bel et bien et ils venaient de la franchir. Et contre toute attente, cette entrée donnait dans les réserves alimentaires. La faim le tenailla soudain. À tâtons, en raison de la noirceur ambiante, Milan chercha pain, viande, ou fruit ou vin ! La main du roi se posa bientôt sur son épaule.

—Mon ami, avant de nous sustenter, ne croyez-vous pas qu'il serait plus sage de barricader cette porte afin de nous assurer de n'être pas pris à revers par nos poursuivants ? Mon avis est qu'ils connaissent certainement l'existence de cette entrée. Après nous avoir cherchés un peu partout, il y a fort à parier que l'idée leur vienne de l'emprunter à leur tour. Et pour y voir plus clair, quelques chandelles seraient aussi d'un bon usage, non ?

— Vous avez raison, lui répondit Milan en se précipitant sur les murs pour y chercher les endroits où étaient plantés ces satanés luminaires de cire. Il en trouva sur une longue table alignée contre le mur.

— J'en ai trois, Majesté.

— Sans feu, elles ne nous sont d'aucune utilité. Vous ne croyez pas ?

Silence ! La voix calme du roi avait fait que Milan se sentait un peu plus ridicule chaque fois. Le garçon en conçut un vague désagrément. En effet, sans feu…

— Exact, Majesté ! Cherchons le briquet.

Milan se mit donc à ausculter tables et tablettes, murs, meubles et tiroirs. Sa quête était si désordonnée qu'il renversa trois ou quatre pots de grès qui contenaient des réserves de cornichons marinés.

Un éclat de lumière apparut alors accompagné d'une traînée de flammèches vives, presque aveuglantes. Une flamme vacilla au bout d'un cierge sous une cloche de verre percée en son sommet d'un orifice afin de laisser passer l'oxygène. La flamme se redressa bientôt en émettant une fine lumière.

— Une seule suffira, suggéra le roi en éteignant le briquet. Inutile de signaler notre présence par un éclairage trop intense. Quoique je craigne que les bruits n'aient déjà fait comprendre à l'occupant que nous étions ici…

— Où était-il, ce maudit briquet ? s'enquit Milan d'une voix maussade.

— Réfléchir, mon ami, c'est agir deux fois. Sachant qu'il fallait s'éclairer en entrant ici, j'ai eu l'idée de scruter sur le côté de la porte. Le briquet y était accroché ainsi que ce bougeoir. Et maintenant, si nous barricadions la porte, qu'en pensez-vous ?

Milan le fit en coinçant la clenche avec une tige de métal mou qu'il tordit à s'en user les doigts. Utilisant ensuite des chevillettes, il fixa les rebords de la porte à son cadre rendant celle-ci inamovible. Puis il bloqua le devant de la porte avec tout ce qu'il put trouver : madriers, comptoir, chaises, tables, brisant sur le sol tous les pots de grès qui lui tombèrent sous la main. Satisfait de son traquenard, Milan attrapa des monceaux de vivres, pain, fromage, jambon, saucissons, vin, un long couteau qu'il rangea dans sa gaine de cuir, puis les deux hommes quittèrent le garde-manger assez fiers de leur ouvrage. Ils s'assurèrent que la seconde porte était, elle aussi, bien barricadée, puis ils empruntèrent un couloir sans fenêtre qui menait à un escalier.

Ils escaladèrent l'escalier en colimaçon. Là, ils aboutirent à une salle assez vaste pendant que leur parvenaient les premiers coups des soldats sur la porte qui donnait sur le garde-manger. Le roi, à bout de forces, s'écroula sur le plancher. Milan prit le temps de barricader cette troisième porte en usant du même stratagème que pour les deux précédentes. Une chaise et quelques meubles suffirent à obstruer le passage, puis Milan se rendit près du roi.

Son front ridé était brûlant ; ses grands yeux cernés par la fièvre et son visage émacié, ravagé par l'âge et la maladie, portaient à croire que le vieux roi épuisait ses dernières ressources. Il fixait Milan d'un air abattu et plein de langueur comme en ont les âmes prêtes à s'envoler. Milan eut à peine le temps de tendre les bras pour recueillir sa lourde tête chaude. L'homme n'avait plus la force de tenir ses yeux ouverts. Il toussa. Du sang s'échappa de sa bouche en fines gouttelettes.

Milan comprit que le roi était en train d'agoniser dans ses bras. Le garçon n'était pas préparé à cette éventualité. Tantôt encore, le roi paraissait avoir retrouvé son énergie. Ce n'était qu'illusion.

Et maintenant, il était affalé dans ses bras. Lui qui n'avait jamais pensé à la mort de toute son existence, voici qu'en un seul jour deux hommes mouraient dans ses bras sans que Milan ne puisse rien pour eux. Personne ne peut rien pour empêcher le destin d'écrire la dernière page d'un livre qui se referme sur une vie qui s'éteint, mais Milan était ignorant de ce genre de vérité.

Voulant à tout prix échapper à leurs poursuivants, il avait oublié l'état d'extrême faiblesse de l'homme qu'il était chargé de sauver. Comment le roi avait-il fait pour le suivre jusqu'ici ? Le garçon l'ignorait. Tout ce qu'il savait, c'est que sa première mission s'achevait sur un lamentable échec. Il était bouleversé.

Comment allait-il s'y prendre pour annoncer pareille nouvelle à la princesse ? Et puis, se disait-il, ayant ici échoué, quelle garantie avait-il de réussir les autres missions ? Aucune ! Il se sentit alors atrocement seul et désemparé.

Le roi rouvrit les yeux au moment où Milan ne parvenait plus à retenir ses larmes. Il le fixait avec un faible sourire. Il respirait avec peine.

— Je crois bien, mon garçon, que je n'irai pas plus loin.

— Je vous en prie, Majesté ; ne parlez pas. Gardez vos forces. Nous allons nous reposer et nous repartirons dans quelques heures. Je suis à bout de forces, moi aussi. Je dois dormir un peu.

—Vous mentez avec une belle assurance, mon ami. Mais vous savez aussi bien… aussi bien que… que moi… que…

Il fut incapable de terminer sa phrase. Il ferma à nouveau les yeux et resta immobile et silencieux une autre longue minute. Quand il reprit, ce fut avec une grande difficulté. Il avait de plus en plus de mal à parler et c'est péniblement qu'il réussit à trouver le souffle pour formuler la dernière demande.

—Sauvez ma fille…

Il se tut à nouveau. Son corps se relâchait de plus en plus comme s'il s'abandonnait sans résistance à son sort.

—Ne me plaignez pas, mon garçon. Je vais rejoindre la femme que j'aime. Elle m'attend depuis si… longtemps. Merci de m'avoir libéré et de me permettre de mourir en homme libre.

Il toussa, cracha. Du sang encore. Juste un peu. Une goutte à la commissure des lèvres.

—Ne vous en voulez pas, jeune chevalier ! Prenez cette clé. Le Bi… La clé du Bi… Bien…

Ce furent ses dernières paroles. En expirant, sa main s'entrouvrit. Une clé bizarrement taillée, suspendue à une chaîne en tomba. Milan s'en saisit avec mille précautions et la contempla. Il la passa ensuite à son cou. Il se rappela qu'une autre chaîne était suspendue à son cou : le capteur de temps. Et alors, pour la suite, il ne vit plus rien.

Je crois bien qu'il s'endormit de fatigue et de chagrin.

32

L'arbre de la science
du Bien et du Mal

MILAN NE DORMIT PAS LONGTEMPS. Une demi-heure tout au plus. Il fut réveillé par des vrombissements qui semblaient venir du centre de la Terre. Puis, sans avertissement, le sol autour de lui se mit à trembler comme si des mains géantes secouaient le château tout entier. Des cris lui parvenaient depuis l'escalier, des étages inférieurs, plus exactement de la salle du garde-manger. On frappait dans les portes à grands coups de poing et des éclats de voix témoignaient d'une grande agitation.

Puis aussi vite qu'il était apparu, le phénomène s'arrêta. Les bruits et les secousses s'éteignirent comme par magie. Il régna un silence de fin du monde pendant de longues secondes, puis les grondements reprirent avec une fureur décuplée. Milan se tassa contre un mur, par prudence. Des poutres se détachèrent du plafond entraînant dans leur chute un énorme candélabre et des étals d'armes. La poussière envahit toute la salle. Les murs frémirent dans un vacarme terrifiant. Milan toussa afin d'évacuer la poussière qui s'était infiltrée dans ses poumons. Il ne voyait pas à un mètre devant lui tellement l'air était enfumé. Il se mit aussitôt à la recherche du roi. Il espérait qu'il ne lui était rien arrivé, qu'il avait eu le temps de se mettre à l'abri.

— Majesté ! Où êtes-vous ?

Il avait disparu. Où était-il allé, celui-là ? Peut-être avait-il profité du sommeil de Milan pour faire une reconnaissance des lieux… Pour se rendre…

Mais non, bêta ! Rappelle-toi ! Il est mort dans tes bras…

Le voile de poussière commença à se dissiper. L'espace s'éclaircit autour du garçon. Il était seul au milieu de la grande pièce. Soudain, comme s'il avait été frappé par un éclair, il se redressa. Une absence ! Effroyable absence ! Où était passé le corps du roi ? Il était à ses côtés au moment où il s'était assoupi. Où était-il passé ?

Milan fit trois pas en tournant sur lui-même. Ses pieds s'emmêlèrent dans un tas de vêtements. C'étaient les haillons dont était revêtu le roi. Que faisaient-ils là ? Un cadavre, ça ne pouvait pas s'envoler comme ça.

— Il n'est pas bon que les vivants connaissent le chemin emprunté par les morts ! lui lança une voix inconnue.

—Qui vient de parler ? Qui a dit ça ? Est-ce vous, Majesté ? Ou le diable ? Ou un spectre ? Faites-vous connaître !

—Il y a eu un affaissement de terrain, reprit la même voix.

—Montrez-vous ! Vous ne me faites pas peur ! Je suis de taille à me...

—Je le sais, mon jeune maître, lui répondit alors la voix que Milan aurait dû reconnaître dès le début tellement elle lui était familière.

—Caresse ! Sale tas de poils mal brossés ! D'où sors-tu ?

Il se jeta au cou de son amie aussitôt que sa grosse tête lui frôla la cuisse.

—Les tunnels se sont effondrés. Cela a entraîné dans la mort les derniers hommes d'armes qui vous poursuivaient et qui constituaient les dernières troupes du comte Gustave. Vous voici maintenant à égalité, mon jeune ami. Enfin presque, car le coffre du Bien n'a toujours pas été ouvert.

—Oh ! Caresse, ma belle ! Si tu savais tout ce qui s'est passé ici. Si tu savais combien ta présence m'a manqué. J'étais désespéré.

—Je sais, oui. Mais je vous avais prévenu que les dieux nous avaient interdit d'intervenir dans les affaires des Hommes.

Les attendrissantes retrouvailles s'étirèrent un long moment encore, à croire que les deux amis avaient été séparés depuis des années.

— J'ai dû me résoudre à m'éloigner de lui, expliqua Caresse pour excuser sa longue absence. Je devais m'assurer que le Dragon Blanc se résignerait à la même neutralité.

— S'est-il soumis à la volonté des dieux ?

— En vérité, je l'ignore. Je ne l'ai aperçu nulle part. Voilà pourquoi je suis ici, pour vous prévenir et vous mettre en garde. Rappelez-vous qu'il peut prendre n'importe quelle apparence. Il vous faudra être très prudent. Je continuerai à veiller du haut du ciel. Mais qui sait comment la bête se manifestera, si jamais elle décide de le faire ? Peut-être ne serais-je pas en mesure d'intervenir au moment approprié. Alors soyez d'une extrême prudence à chaque instant… Vous êtes notre dernier espoir…

Depuis quelques instants, une pensée chicotait Milan. Un détail dans les derniers propos de la Chienne.

— Caresse, mon amie, tu dis ne pas pouvoir intervenir dans les affaires des hommes. Est-ce exact ?

— Tout à fait, rétorque la bête en détournant le regard.

— Tout à fait ! Mais alors, mon amie, pourrais-tu m'expliquer comment il se fait que, pour la deuxième fois en quelques heures seulement, mes ennemis sont mis en pièces sans qu'on sache trop comment ?

— Plaît-il ?

—Oui ! Je n'ai pas souvenir qu'on ait raconté que ces terres soient sujettes à des secousses sismiques justifiant, comme ça, un écroulement de terrain, et ce, à l'endroit exact où se trouvent les hommes que le comte Gustave a envoyés à ma recherche.

—Qu'essayez-vous de me dire, mon jeune et admirable maître ?

—N'y serais-tu pas pour quelque chose ?

—Mais où allez-vous chercher de pareilles… de si magnifiques… de si farfelues… idées ? Si j'y suis pour quoi que ce soit, c'est le jeu d'un fallacieux hasard. Je vous assure. Les dieux nous ont interdit toute intervention, et j'obéis à la volonté divine. Mais qui peut prédire ce qu'il advient au moment où un pauvre, pauvre minuscule petit dragon de rien du tout atterrit et qu'il pose ses pattes sur un sol instable en le piétinant par maladresse, déclenchant ainsi, bien malgré lui, quelque calamiteuse conséquence pour ceux qui se trouvent en dessous de lui et dont, bien sûr, il ignore la présence ? Qui ? Personne ! Voilà ! Je ne vous le fais pas dire. Oh ! J'oubliais, mon jeune ami. Je vous ai rapporté vos armes que vous aviez oubliées près du loup.

Sur ces mots, il lui fit un clin d'œil, puis son image s'évanouit sans que Milan ne puisse la retenir. Ne resta bientôt qu'un filet de vent qui frôla sa joue. Il fixa le tas de brimborions qui traînait à ses pieds : épée, bouclier, armure, heaume et puis tout le reste. Il sourit en dégageant sa cotte de mailles du bout du pied. Il la revêtit en silence, plaça son épée dans son fourreau, sa dague dans son étui de cuir et le heaume sur la tête, visière relevée. Il attacha à son ceinturon les trois ampoules dont l'une lui servirait à tuer le comte. Agir ! Voilà ce qui importait à présent : agir et vaincre !

Milan ouvrit la porte qui donnait sur un long couloir menant à un escalier étroit. Il monta sans plus se soucier ni du danger ni de personne. La peur marchait avec lui, mais un pas derrière, si bien que devant, tout lui semblait limpide, clair comme un matin d'hiver. Il avait pour la première fois une idée très précise de ce qu'il devait faire et du sens des choses.

Le roi était mort et le monde tournait toujours. La princesse mourrait, et lui-même avec elle, que ce monde continuerait à tourner. Bien sûr, ils n'en sauraient rien, car ils seraient morts, mais les vivants continueraient d'être vivants et ils feraient tourner le monde comme des milliers de générations de vivants l'avaient fait avant eux.

La vie n'appartient pas aux morts, mais aux vivants. Et il était vivant. Donc le monde lui appartenait. C'était à lui de le faire tourner dans le sens qui lui convenait. Si, par malheur, la princesse devait mourir, il n'en continuerait pas moins d'être vivant. Et ce monde continuerait de lui appartenir. Voilà. L'amour est entier : il n'est rien ou il est tout. C'est tout.

En haut de l'escalier, un autre passage, puis une enfilade de portes avec barreaux et serrures. Des cellules. Milan risqua un œil par le judas de l'une d'entre elles. Personne. Au fond, entre le mur et le plafond en berceau, un carré de lumière pâle, si pâle qu'elle ne se rendait pas jusqu'au plancher, éclairait à peine la longueur d'une main tout autour de l'ouverture. Une odeur de foin pourri et d'urine. Quelques bruits furtifs, des rats sans doute. Les oubliettes. Puis un escalier encore. Un nouveau passage. Une grande salle, éclairée par un large foyer où fumait une bûche énorme aux trois quarts calcinée qu'on n'avait pas pris le temps de débiter.

Toujours le même vide, le même silence. Autre escalier, autre couloir ajouré celui-là par de hautes ouvertures en ogives, traversé par des colonnes en torsade. Deux grandes cheminées fumantes et rougeoyantes, des tables couvertes de vaisselle sale, les reliefs d'un repas de poules et de rôtis, un haut fauteuil de bois sculpté et des bancs renversés comme si les convives avaient dû s'éclipser en vitesse en raison d'une menace.

Malgré le silence, les murs semblaient se renvoyer les hurlements de ces hommes qui avaient dû fuir dans la précipitation. Étrange atmosphère. Même pas la trace d'un souffle de vent frais malgré les larges fenêtres ouvertes sur la nuit, toujours la nuit. Un ciel couvert de ces épais nuages noirs, traversés d'éclairs sans tonnerre.

Soudain, un hurlement ! Milan détourna la tête si vite que son casque n'eut pas le temps de suivre. Son nez heurta le rebord tranchant de son heaume. Une entaille, du sang. Il replaça son casque. Deuxième cri. Une femme ! À droite. Un escalier. La clé à son cou était devenue très lourde. Elle lui brûlait la peau. Il s'arrêta, sortit la clé de sous sa cuirasse. La tint au bout de la chaîne. Elle était rouge et elle émettait des éclats orangés comme des flammèches.

Le coffret ! Le coffret n'était pas loin. Le coffret du Bien ! Ce ne pouvait être que ça. Il se pencha. Rien. Examina le fauteuil de bois, le dessous de la table. Rien. Derrière la tapisserie qui couvrait le mur, derrière la table et derrière le fauteuil. Porte, non ; niche dissimulée dans le mur, non ; autre chose, non ! Rien, oui, rien, comme dans absolument rien.

La clé continuait à émettre ses éclats de lumière froide. Toujours rouge, la clé. Toujours rien. Un autre cri, plutôt une plainte, de femme encore. Des bruits de course. Une porte là-bas qu'on refermait, déclic d'un mécanisme : une serrure qu'on verrouillait. Pas de coffre. Merde !

Pas de coffre. Alors pourquoi la clé émettait-elle ces…?

« Avant toute chose, retrouver le coffret du Bien. L'ouvrir afin que se répande sur le monde son contenu et que l'équilibre soit restauré. » Avant toute chose ! C'est ce que m'a dit dame Cunégonde. Trouver et ouvrir le coffret du Bien avant toute chose.

Ne pas quitter cette salle avant d'avoir trouvé. Tâta tables et bancs renversés, tâta le grand vaisselier, l'armoire de bois où on range la lingerie. Tâta et ausculta les tuiles de pierre qui couvraient le plancher, frappa du poing et de la garde de son épée les murs, les poutres du plafond, les redans des portes. Trancha d'un coup de dague la gaine de cuir des trois manteaux suspendus au mur. Rien ! De quelle grosseur était-il ce satané coffret ? Assez gros pour recevoir l'ampoule. Grosse comme le creux de sa main. Grosse comme une grosse pomme. Les pommes qu'il allait cueillir au verger communal dans des temps plus heureux. La clé était éteinte ! Plus aucun éclat. Depuis quand ? Pourquoi éteinte ?

Milan se remit en mouvement pour rejoindre le centre de la salle. Rien. Il revint vers la porte par où il était entré. Rien. Il passa devant la fenêtre donnant sur le jardin. Rien. Non ! Oui ! Rouge à nouveau, la clé. Il continua d'avancer. Elle s'éteignit. Il recula et repassa devant la fenêtre ; elle se ralluma, il s'en rapprocha, les éclats réapparurent de plus en plus scintillants. Il s'arrêta. Les mains en appui sur l'encorbellement de pierres torsadées, il se pencha vers l'extérieur. Les éclats virèrent au violet et la clé devint chaude. Il escalada la fenêtre et s'avança dans le jardin. Au centre, un arbre, un pommier avec de grosses pommes vertes. Le pied de l'arbre brillait, se colorait de rouge comme si les racines de la plante absorbaient la lumière émise par la clé qui devenait plus lourde à chaque pas, plus lumineuse et si brûlante que l'humidité de la nuit qui s'échappait de la végétation la faisait grésiller comme quand on jette de l'eau froide sur une surface trop chaude. Si brûlante que Milan ne parvenait plus à la tenir entre ses doigts gantés de cuir. Il ne voulait pas la laisser tomber de peur qu'elle ne perçât sa cuirasse et le brûlât au thorax aussi sûrement que si elle le marquait au fer rouge. Mais la douleur devint si intense qu'il n'eut plus le choix. La clé lui échappa.

Elle ne retomba pas sur son thorax. Elle resta tendue au bout de la chaîne, la pointe dressée vers l'arbre comme si une force puissante l'y attachait par les mailles d'une corde invisible.

Milan brossa la surface du sol au pied de l'arbre avec la pointe de son pied. Deux coffrets d'or ciselé apparurent. L'un émettait une lumière intense. L'autre semblait mort. L'arbre tout entier et ses fruits s'enflammèrent. De grandes nappes de fumerolles incandescentes percèrent la nuit ; un bûcher muet et froid, sans crépitement ni altération.

Les coffrets ! Celui du Bien et celui du Mal, enterrés dans la hâte sous les racines d'un pommier donnant ses fruits. L'un vide, l'autre plein. Sur le couvert du Bien, trois barres horizontales. Sur celui du Mal, trois traits verticaux, comme sur les fioles. Les fioles qu'il lui faudrait enfermer à jamais dans leur coffre respectif. L'*intraspiritu* et l'*extraspiritu*. Mais pourquoi les y enfermer ? Pourquoi priver les humains de ces deux vertus ? L'*intraspritu*. La *Compassion*, seule voie menant vers le bien absolu : la bonté, le partage, le pardon, l'amour universel. Et si, pour que le monde survive au poids du déséquilibre, il faille y verser en retour tout le Mal de la haine absolue, n'était-il pas sage d'y consentir ?

Un doute s'empara de Milan. Obéir à la Dame de la Tour ou s'en remettre aux hommes ? Ce monde n'était plus celui des dieux. Les êtres fantastiques qui peuplaient autrefois sa surface, lutins, djinns, sorciers et sorcières, licornes et dragons avaient tous disparu. La seule race de ces êtres fantastiques créés par les dieux et qui avait accepté de rester et de régner sur ce monde, c'était celle des Hommes ? Ce monde était le leur ?

Il n'eut guère le temps de s'interroger plus longtemps. Une flèche vint se ficher dans son bras gauche, provoquant une intense douleur. Une deuxième atteignit sa cuirasse et dévia vers un fourré d'herbes sombres. Puis les flèches se mirent à pleuvoir tout autour sans qu'aucune autre ne l'atteigne. Il réussit à se traîner derrière l'arbre et à s'y mettre à l'abri.

Du moins, c'était ce qu'il croyait.

33

Les deux Dragons

L A DOULEUR ÉTAIT SI VIVE que Milan en perdit, un instant, conscience. Quand il revint à lui, il entendit des pas approcher sur sa droite. Il risqua un regard discret. Un homme venait vers lui, habillé d'une cuirasse d'or, la main fermée sur une épée si longue et si lourde qu'elle traînait derrière lui. Chaque pas laissait cliqueter les plaques de métal de son armure qui s'entrechoquaient sur son corps trapu.

Milan eut le courage de pousser sur la flèche qui lui transperçait le bras. La pointe jaillit au travers de la peau si bien qu'il fut presque facile d'en retirer le fuseau. Le sang gicla.

Milan arracha un pan de sa tunique et s'en servit pour panser la plaie. Quelques secondes suffirent à étancher le sang. Mais la douleur lui paralysait le bras et des sueurs chaudes parcouraient son corps. Il peinait à retrouver son souffle.

— Alors ? fit la voix de l'homme qui avançait avec calme et détermination dans la nuit noire. Croyais-tu avoir le dessus sur le roi

Gustave ? Ignores-tu la force qui se distille en chaque fibre de mon être ? Tu n'as aucune idée des forces qui habitent le Mal quand le Mal est habité par le Mal. Je suis bien plus qu'un simple mortel, pauvre fou ! Regarde maintenant et tremble devant celui que tu dois affronter.

Alors, sous le regard médusé de Milan, une forme gigantesque fit éclater l'armure d'or. Une gigantesque bête, au pelage de pierres blanches, s'éleva devant lui, terrifiante, le corps nimbé de flammes.

— Le Dragon blanc ! marmonna Milan impavide, le corps exsangue et paralysé.

Comment vaincre une pareille créature ? C'était impossible ! Surtout que le monde, baignant dans les seules forces délétères du Mal, lui conférait une puissance infinie. Et comment ouvrir le coffre du Bien sans être atteint par le bras vengeur de son ennemi ? Bien qu'à portée de main, ce coffret lui semblait aussi loin que s'il s'était trouvé à l'autre bout du monde.

Milan allait donc devoir mourir ou se soumettre ? Quelle autre possibilité lui restait-il ?

— Me battre ! rugit Milan. Me battre avec l'énergie du désespoir. Me battre malgré le désespoir, me battre malgré l'inutilité de la chose. Me battre pour ne pas mourir en lâche.

Milan sentit son corps retrouver sa vigueur, son cœur s'emplir de rage et de détermination.

« C'est encore plus beau quand c'est inutile ! »,
pensa Milan, se rappelant les paroles d'un texte
qu'il avait lu en classe, il ne savait plus ni où
ni quand. Et puis, n'était-il pas lui-même un
monstre ? Ne l'avait-il pas toujours été ? Et un
monstre ni ne se rend ni n'abandonne !

— Je suis le monstre de Saint-Christophe,
hurla le jeune chevalier en dressant vers le ciel
son épée de son bras intact, pourfendeur du
Mal et tueur de dragons ! Nul ne résiste à ma
rage ! Mal est fait à qui s'en prend à moi ou à
mes amis ! J'en appelle aux forces du Bien, mes
alliées, au ciel et aux dieux !

Alors, bouclier levé, Milan s'avança vers
son ennemi.

Elle est là, la bête, debout devant moi, per-
chée comme une gargouille sur la bordure d'un
clocher de cathédrale. Elle lève la tête en
lâchant un cri déchirant.

Je fais trois pas puis me dresse à présent
devant le coffret du Bien qui continue à jeter
ses éclats. La bête s'avance dans ma direction,
émet un grognement sinistre puis, rabattant la
tête vers moi, crache un jet de feu si puissant
que mon bouclier suffit à peine à m'en protéger. La force et la chaleur sont telles que je suis
renversé. Je réussis à tenir mon bouclier dressé.
J'essaie de saisir la clé que m'a confiée le roi
avant de mourir. Un second rugissement de la

bête, un autre jet de feu, si violent encore que je ne parviens pas à m'en défendre correctement. J'en échappe et la clé et mon bouclier.

C'est ma dernière chance. Je saisis un énorme caillou et je le lance avec force. J'atteins le Dragon à son œil droit. La bête émet un hurlement si tonitruant que, sous mes pieds, la terre tressaille. Le Dragon recule en secouant la tête de gauche à droite, fracassant au passage les parois de la tour du burg au pied de laquelle se trouve la porte d'entrée. J'en profite pour chercher la clé du coffret. Ouvrir le coffret du Bien ! Rétablir l'équilibre en ce monde ! Trouver la clé ! La clé ! Où est cette satanée clé ?

La bête continue de hurler. Un moment encore et elle retrouvera ses réflexes. Retrouver la clé ! Ma seule chance de salut, c'est le coffret !

— Je l'ai !

L'introduire dans la serrure du coffret du Bien ! L'introduire ! Vite ! La Bête est à nouveau dressée sur ses énormes pattes. Elle lance sa tête vers l'arrière, rugit. Les flammes ne vont pas tarder. Mon bouclier ! Mon Dieu ! La clé ! La serrure ! La Bête vient de rabaisser la tête. Mon bouclier ! Où est mon bouclier ?

— Sers-toi du capteur de temps, mon jeune maître ! Le capteur de temps ! me lance Caresse qui vient de se jeter, toutes griffes dehors, sur mon adversaire.

Il y a le fracas du combat. Les ailes ouvertes comme les voiles des grands navires, le choc des pattes se frappant au corps, cherchant les yeux. Le ciel est remué comme une eau de baignoire dans laquelle on aurait immergé une meute de loups. Je n'en ai cure du capteur de temps. Pour l'instant une seule obsession : ouvrir ce maudit coffret.

Je parviens enfin à entrer la clé dans la serrure du coffret. Un déclic ! Ouverture ! Un cylindre de cristal. Je le fracasse d'un coup de dague. Aussitôt, les vapeurs s'en échappent, avivant tout autour des vents chauds et tourbillonnants. Des nappes épaisses de poussière sont soulevées, crevant les nuages noirs qui couvraient jusque-là le ciel d'est en ouest. Se répand alors une lumière étincelante qui ravive la beauté du monde. La nature retrouve ses couleurs, l'air se charge de parfums et la température se fait plus douce.

À ce moment, du ciel, je vois Caresse refermer ses ailes et porter à son ennemie un dernier coup. Les deux bêtes s'emmêlent alors et sont emportées vers les contrées insondables du ciel où elles disparaissent du regard des hommes.

Quelques secondes s'écoulèrent avant qu'une formidable explosion ne se fasse entendre. Des jets de fumerolles incandescentes partent d'un point et envahissent tout le ciel, créant un gigantesque arc-en-ciel. On dirait le point culminant d'un somptueux feu d'artifice.

Après la dernière déflagration, un silence troublant règne sur le monde. Je scrute le ciel dans l'espoir d'en voir émerger ma douce amie. Mais rien ne bouge. Rien. C'est terminé. Caresse s'est sacrifiée pour moi. Je ne la reverrai jamais.

Un nœud s'est fait dans mon ventre. Adieu douce et brave amie !

Après de longues minutes de recueillement et d'hésitation, je prends une décision inattendue qui aura sur le monde des conséquences considérables.

Je décapuchonne les deux fioles et lance dans la brise caressante la fine poudre d'or et d'argent qu'elles contiennent. L'essence de ces deux vertus s'insinue partout sur le monde et j'ai un instant, oh ! un bien fugitif instant, l'illusion que le monde respire mieux.

Voilà, ma tâche est terminée.

Je scrute encore le ciel à la recherche de mon amie, espérant qu'elle ait échappé à l'anéantissement qui a succédé à l'ultime explosion. Je ne trouve d'elle aucune trace. Les deux derniers dragons ont disparu de la surface de la Terre. Une grande solitude s'est abattue sur mes épaules donnant plus de poids à ma tristesse. Mais cette fois, je la refoule. Les larmes seront pour plus tard. Il est temps de quitter ce funeste endroit.

Je vois la princesse en haut de la plus haute des quatre tours que compte le burg. C'est de là qu'elle me fait signe de la main.

— Oh ! Mon brave et noble héros ! Venez vite à mon secours ! Je vous en prie !

Je regarde le sommet de la tour et je maudis le comte de m'obliger, avec toute cette fatigue, à grimper jusque-là pour délivrer la belle princesse.

— Il n'aurait pas pu l'enfermer au premier ! maugrée-je en avançant. Il doit bien y avoir trois cents marches jusque là-haut ! Majesté ! que je crie. Ne vous serait-il pas possible de faire la moitié du chemin ? De cette tour, descendre est plus aisé que de monter, et j'avoue qu'une petite contribution de votre part serait très appréciée.

— Nenni, brave chevalier, gémit la princesse. Le pourrais-je que je n'en ferais rien. Il n'est pas de bon ton qu'une noble princesse se libère par elle-même. Il est de tout temps convenu que les chevaliers seuls en ont pouvoir et droit. Je vous attends donc, mon ami ! Mais faites vite. Une grande faim ronge ma patience. Si vous trouvez pitance en chemin, cuissette de poulet dodu, pain et fromage, carottes ou quelques laitues, tout cela ne serait refusé. Ne négligez rien et tant qu'à y mettre ardeur et ressources, trouvez-moi donc aussi quelque vin et un gobelet.

J'ai failli lui crier que je n'étais pas son serviteur, mais un étrange phénomène me retient. La terre, sous mes pieds, commence à rouler. Je dis bien, rouler.

La vision qui s'offre à moi est incroyable. Une partie du monde est en train de disparaître. Les arbres de la forêt des Inconstances volent en tout sens, aspirés par des trous béants qui se creusent partout. En certains points de la plaine, les eaux des rivières submergent les sols fertiles. Ailleurs se creusent de longs canyons. Les déserts remplacent les forêts, les plaines, les montagnes. Et d'aussi loin que je peux faire porter mon regard, je vois le monde présent disparaître et un autre se créer.

C'est terrifiant ! Le pays d'Ailleurs et celui d'Issy sont en train de s'effacer de la surface de la Terre et, bientôt, de la mémoire des hommes. Le sol s'ouvre sous mes pas et tout mon attirail, armes et armure, sont ensevelis. Alors, alors seulement, je comprends l'importance qu'il me fallait accorder au capteur de temps. Il est de toute nécessité de libérer les quelques minutes que j'y ai économisées. Je bénis la Dame de la Tour de m'y avoir contraint.

Je sors la bille d'or, j'aligne les encoches. Le capteur de temps fera le reste. Les barbilles se mettent à s'agiter et en jaillissent des jets de fumée. Le temps, le bruit et l'anéantissement du monde sont stoppés. L'axe de la Terre bouge et le sol vrombit étrangement. J'ai l'impression que notre bonne vieille boule s'est mise à tourner à l'envers du sens habituel de sa rotation. Ça ne dure qu'une fraction d'instant. Et quand tout cesse, je comprends que mes sept minutes ont déjà commencé à s'égrener.

Alors je gravis en courant le long escalier qui mène à la plus haute chambre de la plus haute tour du burg où est retenue la princesse. Je n'ai pas fait la moitié du chemin que Mélodie me saute dans les bras. Elle n'a pas attendu que je monte pour descendre. Nous nous rejoignons au troisième niveau. Je suis abasourdi par la vision qui s'offre alors à moi. La princesse est d'une beauté saisissante et sa peau, aussi brune que le plus doux des chocolats au lait. Elle me fixe avec un regard désemparé.

— Viens, Milan ! Ne restons pas ici ! me lance-t-elle d'une voix troublée où perce toujours ce petit accent autoritaire qui a l'heur de m'exaspérer. J'ai l'impression que nous ne sommes pas dans un lieu qui nous convient vraiment, ajoute-t-elle. À vrai dire, je n'ai aucune idée de l'endroit où nous sommes. Comment nous avons abouti ici, je n'en sais rien. Mais je crois que ce n'est pas le moment de nous poser trop de questions !

Je n'ai même pas le temps de lui demander ce qu'elle fait ici qu'elle m'entraîne déjà à sa suite. Nous aboutissons bientôt dans la salle des fêtes où les reliefs du dernier banquet jonchent le sol. Mélodie semble avoir atteint ici les limites de son entendement.

— Milan ! gémit-elle au bord de la crise de nerfs. Où sommes-nous ? Que faisons-nous ici ? Par où passer ?

Par où passer, ça je sais. Mais le passage nous est refusé. Quelqu'un se trouve devant la porte, le visage ravagé par la haine, labouré d'affreuses cicatrices encore sanguinolentes. Quelqu'un qui ne devrait pas être là.

— Gustave ! hurle Mélodie en apercevant l'homme qui nous barre la voie.

Le comte ne semble même pas l'entendre. Mais est-ce bien le comte ? Non ! Son visage, ses vêtements et même la couleur de sa peau ont changé. Toute son attention est fixée sur moi. Il respire avec peine. Son visage est noirci par une large tache bleutée d'où pendent des chairs à moitié brûlées.

Il a échappé au combat des deux dragons, mais il n'en est pas sorti indemne. Cependant, la force qui lui reste semble suffisante pour en faire un adversaire vindicatif et imprévisible. Il n'y a rien de plus dangereux qu'une bête blessée. Et je suis sans arme.

— Alors ! Tu croyais t'en tirer aussi facilement ? Tu croyais pouvoir échapper à ma vengeance, pauvre petit ver de terre ? Tu vas maintenant apprendre ce qu'il en coûte de se dresser contre moi.

Il soulève sa lourde épée et s'avance vers moi d'un pas agressif. Une autre secousse ébranle à nouveau le burg tout entier, faisant chuter la herse qui retenait au mur une lourde tapisserie. Le bruit est si intense qu'il fait dévier vers lui le regard de Gustave.

C'est le moment que j'attendais pour me jeter sur mon ennemi. Nous roulons l'un sur l'autre. Surpris, mon adversaire a bien du mal à garder l'avantage qu'il avait sur moi. Chose certaine, son arme, dans la situation où nous sommes, ne lui est plus d'aucun secours. Mais un coup sec assené à mon bras blessé lui permet de reprendre avantage.

Il se relève et, saisissant son épée à deux mains, il l'abat d'un mouvement puissant à l'endroit même où ma tête se trouvait un instant plus tôt. En voulant éviter son assaut, je roule sur le sol, fracassant sous mon poids la troisième fiole. Une longue aiguille en jaillit et le souvenir de son utilité me revient.

« Introduis l'aiguille à la base de son cou, m'avait prescrit la Dame, dans la carotide, et maintiens-la sans faillir durant trois secondes. Le mal sera fait ! Ce sera pour toi et Mélodie la seule voie du retour, la dernière porte ouverte sur ce monde ! »

Je n'hésite pas. Je saisis l'aiguille à deux mains et je crie à Mélodie de s'accrocher à moi et de ne desserrer sa prise sous aucun prétexte, quoi qu'il arrive. Je me jette tête première sur Gustave qui est incapable d'éviter mon assaut. Au moment où il lève le bras pour abattre la garde de son épée sur mon crâne, je lui plante l'aiguille dans le cou. Celle-ci s'enfonce sans rencontrer de résistance. Je compte jusqu'à trois et je m'accroche au corps de Gustave que de violents spasmes secouent maintenant.

À cette seconde, le pays d'Ailleurs vient de voler en éclats. Le noir se fait tout autour de nous. Nous sommes projetés dans une longue tornade où s'agitent des ombres fugitives et de grandes lumières. Des images surgissent de partout à une vitesse fulgurante, des images qui racontent l'histoire d'un monde qui s'échappe de partout sans jamais nous atteindre.

Les trois éléments purificateurs contenus dans la troisième fiole sont en train de faire leur œuvre. Le feu, l'eau et le vent viennent de se conjuguer créant un formidable entonnoir qui aspire tout vers son centre. Nous-mêmes y sommes entraînés, soulevés par une force impossible à conjurer. Mélodie me retient avec une force telle que je sens ses ongles s'enfoncer dans ma chair. D'immenses rochers voltigent, aussi légers qu'une plume ; arbres, plantes, bêtes entament une danse insolite au son du vacarme assourdissant d'un monde en gestation.

Tout bruit s'éteint. La tempête se calme aussi soudainement qu'elle s'est déchaînée.

❧

Quand je rouvre les yeux, Gustave est étendu par terre, dans la ruelle, derrière la maison de Mélodie, au cœur du quartier Saint-Christophe. Il se tord de douleur. J'ai pu intervenir avant qu'il ne lance son cocktail Molotov dans la fenêtre de la chambre où dormait Dieudonné. Les deux bouteilles que tenait le Gus se sont fracassées sur le sol glacé. L'essence qui s'en échappe s'est aussitôt enflammée, attaquant les vêtements du coupable. Bien qu'il se tortille en tous sens et malgré mes interventions pour limiter la propagation des flammes, celles-ci ont attaqué les chairs : le visage, les cheveux, les mains, le ventre et bientôt le torse.

Heureusement, les flammes ont été éteintes avec l'intervention des voisins que mes cris et les hurlements de douleurs de Gustave ont alertés. Malgré la célérité de leur intervention, le mal est fait. Gustave est brûlé au troisième degré sur presque la moitié du corps. Sur sa joue, on voit une longue tache noirâtre où pendouillent des bouts de chairs calcinées.

Je suis debout à ses côtés tenant la main de Mélodie. Nous regardons les ambulanciers couvrir le corps de Gustave, l'emmitoufler de la tête aux pieds pour que le froid ne l'agite pas de nouveaux spasmes. Tout autour de nous, des curieux échangent des propos de circonstance, les uns expliquant aux autres ce qui vient de se produire.

Quand l'ambulance emporte le blessé vers l'hôpital dans un concert de sirènes, les curieux se dispersent. C'est aussi à ce moment que les policiers nous séparent, Mélodie et moi, et qu'ils m'obligent à les suivre pour un interrogatoire. Mélodie s'oppose avec véhémence, prétextant que je n'ai rien à voir avec ça, que je suis innocent. Sa mère et sa grand-mère interviennent dans le même sens auprès des policiers, sans plus de succès.

— Nous ne pouvons faire autrement, leur explique un officier. C'est le seul témoin direct de la scène. Pouvez-vous prévenir ses parents ? leur demande le policier.

— Nous ne les connaissons pas, répond la grand-mère, en tenant Mélodie par les épaules.

Je suis dans un état de complet délabrement. Seul le visage de Mélodie et son sourire mettent un peu de baume sur mon désarroi. Derrière elle, je vois Dieudonné qui m'envoie un signe amical de la main.

Épilogue

DEPUIS DEUX SEMAINES, le printemps étend ses beaux jours sur toutes les cordes à linge du quartier Saint-Christophe. Les vêtements d'été, les draps et les couvertures y sèchent sous la brise chaude de ce début de mois de juin. Les lilas fleurent bon et les jardins livrent les premières poussées de géraniums et d'impatientes. Bref, nous commençons à croire en l'été.

À l'école, il y a eu d'étonnants changements dans le personnel. La directrice, madame Cunégonde Berteau, a été remplacée par un bonhomme en fin de carrière, qui s'est vu affublé du surnom « Rouletabille » par les élèves en raison d'un problème de calvitie avancée. Madame Jacques, notre titulaire, a disparu, elle aussi, de manière fort mystérieuse et n'a plus jamais donné signe de vie. Nous avons hérité d'une suppléante qui, malgré toute sa bonne volonté, n'est pas parvenue à faire régner l'ordre dans notre classe qui en mène large depuis son arrivée. Mais nous l'aimons bien malgré tout. Seul Gros Nigaud n'a pas changé. Il a toujours le même air ronchonneur et la même dégaine déprimante.

La session d'examens de juin va bientôt commencer. On prépare déjà la fête de fin d'année. Bref, la vie a repris ses droits et elle sent bon.

Mélodie, Dieudonné et moi sommes devenus inséparables depuis les événements de décembre dernier. Le Noël qui suivit a été le plus beau de ma vie. Nous l'avons passé en famille. Je n'ai jamais vu mes parents si amoureux. J'ai invité Mélodie et Dieudonné à notre chalet au Mont-Tremblant. La famille de Mélodie nous a remis la politesse en invitant toute ma famille, la grand-mère comprise, à la fête du jour de l'An pour un souper à la haïtienne. Le père de Mélodie était là. Un monsieur charmant qui nous a beaucoup parlé de son pays. C'était vraiment chouette.

La seule chose qui me rend triste, c'est la disparition de ma chienne, enfin, de la chienne de Mélodie, de Caresse. Elle aussi n'a plus donné signe de vie. Peut-être a-t-elle été enlevée par les employés du chenil municipal. C'était une chienne vagabonde. La municipalité n'est déjà pas très tolérante à l'égard des humains itinérants, imaginez les chiens. Surtout s'ils ont l'air mal en point. Caresse boitait. Alors…

Si elle s'est fait ramasser par les employés de la ville, ils l'ont sûrement euthanasiée. Une chienne de cet âge, habituée à la liberté, couverte de puces et le poil tout cotonné, ce n'est pas le genre de bête qu'on offre en adoption. Mais moi, je l'aimais bien, je veux dire, beaucoup. Sa présence me manque. On n'a pas revu Brutus non plus, le chien de Gustave, la terreur du quartier. Disparu lui aussi.

Aujourd'hui, c'est samedi. Il fait un temps splendide. Mélodie m'a donné rendez-vous devant le parc Léopold-Brasseur. Quelque chose à me montrer. Quelque chose qui va me surprendre. Me rendre heureux. Bon.

Elle arrive sur sa vieille bécane. Je la suis à pied en me moquant. On rigole. On tourne sur la rue Crevier, angle Augustin-Chiasson. Un gros camion passe à toute vitesse, force le feu de la rue Saint-Christophe qui vient de passer au jaune. Coup de frein à gauche, injures à droite. Le camion a tourné sans se préoccuper du concert de klaxons qui salue sa dangereuse manœuvre. On traverse.

— Ces chauffeurs de camion qui se croient tout permis ! maugrée une vieille dame, témoin de la scène.

Elle semble parler à son panier d'épicerie en tissu écossais. Elle secoue la tête et se remet en marche. Elle traverse la rue Crevier sans attendre que le feu passe au vert. Bruits de freins devant, injures derrière. La dame continue son petit bonhomme de chemin.

Mélodie et moi, on s'est arrêtés. Devant la troisième maison, sur notre gauche, un camion est stationné. Des hommes font la navette depuis le troisième étage en transportant des meubles pour les mettre dans le camion.

Quelqu'un déménage. Une famille. Un garçon de treize ans est assis sur la galerie et regarde les hommes aller et venir dans l'escalier, les bras chargés de boîtes. Son regard est dur. Il ne parle pas. Il ne fait que regarder. Il tourne la tête et j'aperçois les larges cicatrices de son visage défiguré. C'est Gustave.

— Son père et ses trois frères sont déportés vers Haïti, en raison de leur lourd dossier criminel, marmonne Mélodie en guise d'explication. Toute la famille a décidé de les suivre là-bas. Pauvre Haïti !

Nous avons fait un grand détour de manière à nous éviter la déplaisante expérience de passer devant cette maison. Nous nous sommes ensuite dirigés vers la rue Mercury, l'artère commerciale du quartier. Puis nous nous sommes arrêtés devant un vieil immeuble désaffecté. Nous avons contourné le bâtiment.

— C'est la vieille librairie, fais-je avec étonnement.

— Hé quoi ? réplique Mélodie avec cet accent de supériorité qui m'agace. Ne me dis pas que ce genre d'endroit te fait peur. Allez, mon petit, suis-moi !

J'ai bien failli lui répondre, mais failli seulement. Mélodie a déjà disparu par la fenêtre éventrée.

—Allez ! Viens, Milan ! N'aie pas peur ! Je suis là !

Il y a de ces jours, je vous jure… Quand je la rejoins, tout est en place pour une sérieuse mise au point, genre engueulade entre quatre yeux. Mais une apparition étonnante se produit alors qui me laisse sans voix, incapable de faire le moindre geste. Paralysé ! Ému ! Muet d'étonnement, de joie, d'a… d'amour fou… Oui ! D'amour fou !

Dans un coin, sur une pile de revues jaunies, quatre chiots tètent au ventre de leur mère en pleurnichant. Caresse, étendue, me regarde avec des yeux luisants de bonheur, la queue balayant le plancher. À sa droite, debout, fier comme un paon, Brutus, le père, monte la garde.

Pierre Desrochers

Été 2006
Je me suis réveillé, ce matin, avec un titre de roman dans la tête : **Milan et le chien boiteux.** D'où ça me venait, ce Milan et ce drôle de chien ? Moi, pas savoir. D'un rêve de fin de nuit, de nulle part, de partout ? Je n'en sais rien. Ça m'est resté là, entre deux neurones endormis.

Printemps 2007
Milan m'est revenu, je ne sais trop pourquoi. Une envie d'écrire une petite plaquette d'une centaine de pages. Quelque chose de pas trop compliqué. Une histoire de garçon qui se croit un monstre et qui fait tout pour le devenir. Un tendre qui se prend pour un dur et que le hasard de la vie met en contact avec un premier amour et un premier vrai monstre.

Fin 2008
Après 400 pages, dix-huit mois d'écriture, et de réécriture, je décide d'envoyer mon *Milan* à mon éditeur préféré, pas certain du tout de l'envie qu'il aurait de publier une autre grosse brique. Après *Ma vie zigzague* et *Les neuf dragons*, c'était un peu risqué. J'avais promis un livre mince à mes amis Robert et Colombe. Pas plus de cent cinquante pages. Alors 400 ?

Juin 2009

Faut croire que le pli était fait ; on accepte de publier *Milan* malgré ses presque 400 pages. Il est maintenant entre vos mains, ce livre. J'espère que vous passerez de belles heures en compagnie de Milan, ce monstre au cœur tendre. Mille aventures l'attendent, et des rêves comme celui par lequel il m'est venu lors d'un matin d'été chaud et lumineux.

GARANT DES FORÊTS INTACTES

Ce livre a été imprimé sur du papier Sylva enviro 100 % recyclé,
traité sans chlore, accrédité Éco-Logo et fait à partir
d'énergie biogaz.

Achevé d'imprimer
à Cap-Saint-Ignace
sur les presses de Marquis Imprimeur
en février 2010